2019 '작가'가 선정한

오늘의 영화

작가

〈버닝〉과 〈보헤미안 랩소디〉, 14번째 '오늘의 영화' 최고작들

〈버닝〉, 〈공작〉, 〈리틀 포레스트〉, 〈미쓰백〉, 〈살아남은 아이〉, 〈소공녀〉, 〈암수살인〉, 〈완벽한 타인〉, 〈폴란드로 간 아이들〉, 〈허스토리〉와 〈보헤미안 랩소디〉, 〈더 포스트〉, 〈로마〉, 〈서치〉, 〈셰이프 오브 워터〉, 〈쓰리 빌보드〉, 〈어느 가족〉, 〈콜 미 바이 유어 네임〉, 〈팬텀 스레드〉, 〈플로리다 프로젝트〉.

2018년 개봉된 한국•외국 영화들 가운데 최종 선택된 『2019 '작가'가 선정한 오늘의 영화』 각 10편들이다. 으레 그랬듯 대개는 수이 수긍•동의될 만한 목록이다. 그들 중 〈버닝〉(이창동 감독)과 〈보헤미안 랩소디〉(브라이언 싱어)가 최고작의 영예를 안았다. 이 두 영화의 쾌거는, 어느 모로는 일찍이 예견된 바 대로고, 또 다른 면에서는 의외인 감이 없지 않다.

〈버닝〉의 경우 최우수 작품상을 거머쥔 대종상 정도를 제외하고는 2018년 영화상 퍼레이드에서 별 다른 성과를 올리지 못했다. 칸영화제에서도 마찬가지였다. 스크린 인터내셔널 10인 평단으로부터 4점 만점에 3.8점이라는 역대 최고 평점을 얻고도, 본상 수상에 실패하는 '수모'를 겪어야 했다. 개봉 후 국내 평론계로부터도 큰 호의들을 두루 끌어내질 못했다. 가령 국내 최대 종합 포털인 네이버의 전문가 평점을 들어다보면, 총 13명이 평자들이 참여한 바, 10점 만점에 7.7점에 지나지 않는다. 실 관객 평점도 7.8점에 불과하다. 그런 영화가 2018년 최고 한국 영화라고? "의외", 라고 할 이들이 적잖을 법도 하다.

하지만 〈버닝〉은 단언컨대 "한국, 아니 세계 영화사에 길이 남을 문제적 걸작"이다. "시쳇말로 '저주받은 걸작'"으로, "문제적 작가 무라카미 하루키에서 출발해 문제적 작가 윌리엄 포크너로 나아가는, 문제적 감독 이창동만의 영화적인 너무나도 영화적인, 기념비적 모험"이자, "다층적 서브텍스트들로 구성된 풍요의 텍스트"(전찬일)다. 그 점은 영화 주간지 《씨네21》 기자들과 평론가들에 의해서도 뒷받침된다. 2018 한국 영화 10선에서 2위 〈살아남은 아이〉나 〈1987〉—'2018 오늘의 영화' 중 한 편이었다—. 〈풀잎들〉, 〈공동정범〉, 〈클레어의 카메라〉, 〈죄 많은 소녀〉, 〈공작〉, 〈군산: 거위를 노래하다〉 그리고 〈소공녀〉와 〈천당의 밤과 안개〉(공동 10위)를 제치고 당당히 1위를 차지한 것.

〈버닝〉과는 전혀 다른 양상이긴 해도, 〈보헤미안 랩소디〉도 크게 다르지 않다. "1970년 '스마일' 밴드가 퀸으로 변화하는 초기부터 월드투어에 나서는 전설적 밴드가 되기까지 15년간의 여정을 창작과 공연 과정을 오가며 담백한 서사로 풀어내 보"이면서, "프레디란 인물을 매력적 페르소나로 설정해 그 개인사에 초점을 맞춘", "실화에 근거한 전기 영화"(유지나). 영화는 《씨네21》 외국 영화 10선에조차 들지 못했다. 재미삼아 그 10편을 옮겨보면 〈더 포스트〉를 필두로 〈팬텀 스레드〉, 〈어느 가족〉, 〈패터슨〉, 〈바르다가 사랑한 얼굴들〉, 〈쓰리 빌보드〉, 〈플로리다 프로젝트〉, 〈레디플레이어 원〉, 〈뉴욕 라이브러리에서〉, 〈너는 여기에 없었다〉이다. 한데 '오늘의 영화'에서는 외국 영화 정상에 등극했다. 국내에서 1천만 고지에 근접하며 아직도 그 신드롬의 파장 안에 머물러 있다. 2019 아카데미상에서 남우주연상(라미 말렉)을 비롯해 편집상, 음향효과상, 음향편집상 4관왕에 올랐다. 할리우드

외신기자 협회가 수여하는 골든글로브에서는 일찍이 남우주연상 말고도 드라마 부문 작품상까지 거머쥔 바 있다.

어느 쪽 시선이 더 자기의 영화적 취향•지향•수준 등에 부합할 지는 각자가 판단할 몫이다. 팔은 안으로 굽어서만이 아니라 나는 물론 '오늘의 영화' 쪽이다. 무엇보다 외국 영화의 경우 〈보헤미안 랩소디〉와 〈셰이프 오브 워터〉, 〈콜 미 바이 유어 네임〉이, 한국 영화는 〈미쓰백〉, 〈암수살인〉, 〈허스토리〉 그리고 〈완벽한 타인〉이 배제돼서다. 그렇다고 저들에 의해 선택된 영화들이 그럴 자격이 없다거나 못마땅하다는 의미는 아니니 오해하지 않기를 바란다. '오늘의 영화'와 《씨네21》 양 편에 다 포함되지 않은 몇몇 영화들과 마찬가지로 비 선택된 그들의 존재감이 그리울 따름이다. 그래도 홍상수 감독의 아마추어적 습작에 지나지 않는 태작 〈클레어의 카메라〉를 상기 언급한 문제작들을 밀어내고, 소위 베스트10에 진입시킨 《씨네21》의 처사가 안타깝다. 그 안타까움은 같은 감독의 흥미진진한 문제적 시도 〈풀잎들〉을 선택하지 않은 '오늘의 영화' 쪽으로도 향한다. 하긴 그런 예들이 어디 한둘이랴.

문득 찾아드는 의문. 양 측이 〈버닝〉을 통해 전적인 합의가 이뤄진 데 반해, 〈보헤미안 랩소디〉를 둘러싼 견해에서는 어떻게 이렇게 대조적인 평가를 보일 수 있는 것일까. 한 측은 최고작으로, 또 다른 한 측은 10선에도 꼽지 않았으니 말이다. 또 10선의 목록들에서 엿보이는 크고 작은 괴리를 어떻게 받아들여야 할까. 그 원인은 뭘까. 혹 대중성 및 대중적 성공을 바라보는 시선의 차이가 그 결정적 인자 아닐까, 싶긴 하나 그에 대한 답변 모색은 굳이 하진 않으련다.

이 자리를 빌려 그 어느 때보다 진솔한 인터뷰를 해준 이창동 감독에게 진심 어린 고마움을 전한다. 〈밀양〉과 〈시〉 때 와는 또 다른 깊고 큰 울림을 선사한다고 할까. 영화 리뷰의 숱한 빈 구석들을 보완해주는 역할을 톡톡히 해주는 것. 미스터리로서 〈버닝〉에 대한 부연설명이라든지 무라카미 하루키의 의미라든지 흘려볼 지점은 거의 없다. 그 중에서도 이 말미의 대목이 각별한 인상을 전한다.

"앞으로 어떻게 변해갈지는 저도 잘 모르겠습니다. 영화를 한 편 한 편 하면서 제 나름대로는 변하려고 노력을 해 왔는데요, 사실 늘 질문을 했어요. 〈버닝〉에 서는 좀 더 다른 방식, 남들이 잘 안하는 방식의 질문을 해 본거죠. 하지만 저에게는 본질적인 것이었는데, 왜냐하면 지금 우리가 살고 있는 세상이 대체 어떤데, 거기서 우리는 어떤 영화를 만들고, 어떤 이야기를 하고 있는지에 대한 질문이니까요. 혹자는 청년 세대의 구체적인 상황을 다루지 않았다고 많이 실망할진 모르지만 저로서는 그 문제의 본질을 이야기하려고 노력했던 작품이에요."

마지막으로 '14번째 오늘의 영화' 출산에, 그 출산에 '함께' 한 모든 분들에게 감사드리며…….

2019년 2월

기획위원을 대표해 **전찬일**

CONTENTS

2019
'작가'가 선정한
오늘의 영화

INN

버닝
이창동 감독

한국 영화

공작
윤종빈 감독

리틀 포레스트
임순례 감독

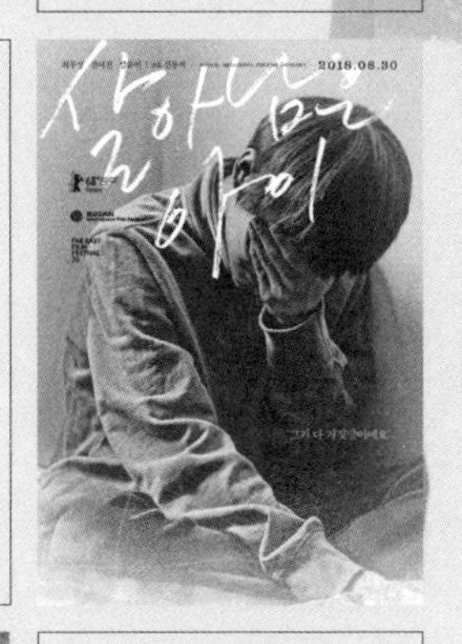

살아남은 아이
신동석 감독

미쓰백
이지원 감독

소공녀
≈ 전고운 감독

한국 영화

암수살인
≈ 김태균 감독

완벽한 타인
<<< 이재규 감독

허스토리
>>> 민규동 감독

폴란드로 간 아이들
≈ 추상미 감독

이창동 감독

버닝

감독 이창동
출연 유아인, 전종서, 스티븐 연
각본 오정미, 이창동
제작 이준동(파인하우스 필름)
기획 옥광희
촬영 홍경표
음악 모그
음향 송윤재
편집 김다원

인간 존재와 영화 매체의 본질적 한계에 대한 사려 깊은 탐구.
영화 사조들의 혁신적 결합.
청년 세대의 꿈과 사랑, 그리고 그레이트 헝거의 진한 여운.
이 놀라운 영화는 더 많이, 더 널리 말해져야 한다.
불확실성의 사회에서 방황하고 좌절하는 세 청년의 일상과
일탈을 예리하게 포착하고 있다.
저마다 다르게 분출되거나 감추어져 있는,
어마어마한 젊음의 에너지.
호불호와 상관없이 전혀 새로운 시도에 한 표.
부진한 흥행 성적에도 불구, '작가 영화'의 최고 경지를 일궈내다.
작가적 세계와 젊은이의 시대성의 만남.
애매모호함의 예술성. 독창적인 실험성.

— 추천위원의 선정이유 中

〈버닝〉, 문제적 감독 이창동만의 영화적인 너무나도 영화적인, 기념비적 모험

— **이창동** 감독 **〈버닝〉**

전찬일(영화·문화콘텐츠 비평가)

시쳇말로 '저주 받은 걸작'이란 이 경우 아닐까. 이 땅의 적잖은 영화 평자들과, 명배우 케이트 블란쳇을 수장으로 한, 2018년 제71회 칸영화제 9인 경쟁 부문 심사위원단 등에 의해 말이다. 이창동 감독이 〈시〉 이후 8년 만에 선보인 6번째 장편 연출 나들이 〈버닝〉과 관련해 던져보는 반문이다. 유통회사 비정규직 등으로 생활하는 소설가 지망생 종수(유아인 분)와, 종수가 배달 일을 나갔다 우연히 조우하게 되는, 어릴 적 동네 여자 친구 해미(전종서), 해미가 아프리카 여행 중 만나 이해하기 쉽지 않은 관계로 나아가는, 정체불명의 남자 벤(스티븐 연) 세 중심인물을 축으로 펼쳐지는 미스터리 휴먼 드라마.

널리 보도됐다시피 〈버닝〉은 칸 기간 중 발간되는, 대표적 일간 소식지 스크린 인터내셔널 10인 평단으로부터 4점 만점에 3.8점, 10점으로 환산하면 9.5점의, 스크린 역대 최고 평점을 얻었다. 영화는 그러나 빈손으로 돌아와야 했다. 종합 포털 다음에 실린 14인의 국내 영화 전문가들로부터는 7.4점을 득

하는데 그쳤다. 이렇듯 극명히 호불호가 갈린 〈버닝〉이 『2019 '작가'가 선정한 오늘의 영화』에서 최고 한국 영화로 선택됐다. 그것도 2등 격인 영화와 2배에 달하는 압도적 표차로. '극적 반전'이라 일컫지 않을 도리 없다. 그에 부응하기라도 하듯 영화는 지난해 12월 LA영화비평가협회 및 토론토영화비평가협회(TFCA)에서의 수상에 이어, 올 1월 프랑스 영화비평가협회 최우수 외국어영화상을 거머쥐었다. "영상미와 선명한 주제의식, 배우들의 호연이 조화를 이뤘다"는 호평을 끌어내면서. 또 〈버닝〉은 비록 최종 5편의 후보에는 들진 못했어도, 한국 실사영화 최초로 제91회 아카데미 최우수 외국어영화상 예비후보 9편에 포함됐었다. 대체 이 괴리들을 어떻게 받아들여야 할까.

그 괴리는 동아일보 2018 영화 결산에서도 여실히 드러났다. 민규동 감독의 〈허스토리〉와 더불어 〈버닝〉이 아깝게 묻혔다고 생각하는 영화 한 편으로 꼽혔다. "의미 있는 소재와 그것을 다룬 영화적 깊이를 다시 한 번 살펴

봐야 할 영화"로. 그 설문에서 필자는 "한국 영화사에서 가장 홀대와 오해를 받은 기념비적 문제작"이라고 진단했다. 동료 평론가 강유정은 그 이유를 간결하게 적시했다. "때로는 명성이 선입견이 되기도 하나 보다. 풍부한 서브텍스트가 난해함으로 외면 받아 아쉽다"고. 단적으로 〈버닝〉은 다층적 서브텍스트들로 구성된 풍요의 텍스트인 것이다. 결국 그 서브텍스트들을 읽어내지 못하는 무능·무지가 난해하다는 따위의 오해·오독의 빌미로 작동한 셈이다.

기회 있을 때마다 피력(이하 http://kor.theasian.asia/archives/189523 참고·인용)했듯, 〈버닝〉은 "이창동 감독의 필모그래피에서나 한국영화 계보에서나 이창동이 아니면 빚어낼 수 없을, 흉내 불가의 괴작"이라는 게 내 종합적 평가다. 김기영 감독의 대표작 중 대표작 〈하녀〉(1960)나 이만희 감독의 유작 〈삼포 가는 길〉(1975) 등과 마찬가지로. "이창동만이 형상화 가능했을, 보편적이면서도 동시에 너무나도 특별한 세 청춘에 관한 독창적 초상화"로, "죽음과는 그 함의가 다를 '사라짐'의 의미를 곱씹게" 한다.

종수, 해미, 벤은 우리 시대에 존재할 세 청춘을 넘어, 우리네 삶의 세 형태요 존재 일반이라 할 수 있다. 종수는 단적으로 외연적, 달리 말해 기표적·표피적 존재다. 그는 삶의 이면 내지 내면을 들여다보려 하질 않는다. 해미가 파주 종수의 집 앞마당에서 개와 늑대의 시간인 해질녘에 상의를 벗어던진 채 춤을 추자, '창녀'라고 힐난하기 급급하다. 해미를 사랑한다면서도, 그녀가 왜 그렇게 갑자기 일탈적 행위를 감행하는지 묻지조차 않는다. 해미가 기회 있을 때마다 1차원적 '리틀 헝거'를 넘어 2차원적 '그레이트 헝거'를 향한 갈망을 피력했고, 그로써 그녀의 '사라짐'을 예고했거늘. 상대편의 입장에 서지 않고 자신만의 의미를 부여하면서 아집 안에 사로잡혀 있는 것, 그것은 단언컨대 사랑이 아니다.

영화 후반 사라진 해미의 방에서 비로소 쓰기 시작하는 것처럼 보이긴 하나, 종수가 소설을 쓰질 못하는 것은 따라서 당연하다. 소설의 세계야말로 외연·기표를 앞세운 내포·기의 즉 메타포의 그것 아닌가. 하물며 그가 지향·목표하는 소설가가 여느 그렇고 그런 소설가 아닌 '넘사벽' 윌리엄 포크너임에야 더 말해 뭣하겠는가. "미국 남부 문학의 전통을 이어받았으며, 방언과 미국적 민속 전통의 기반 위에 모더니즘 및 상징주의 기법, 유럽의 실험주의를 절묘하게 배합하여 미국 모더니즘 소설의 형성과 발전에 기여했"으나, 정작 "작가 생활을 하는 동안 그리 대접받지 못"하다, 1949년 "'현대 미국 소설에 강력하고도 유례를 찾아볼 수 없는 기여를 한' 공로로" 노벨 문학상을 수상한 이후에야 전격 주목받게 됐고, 그만의 독자적인 시도로 "미국 문학의 지형을 완전히 바꾸어 놓았다"는 미국, 아니 세계 문학사의 거목 중 거목(『문학사를 움직인 100인 – 호메로스부터 마르케스까지 문학의 역사를 만든 사람들』, 이한이 엮음, 이혜경 감수, 청아출판사, 2014; 포털 다음에서 재인용).

종수에 반해 벤은 메타포적 존재다. 무라카미 하루키의 『상실의 시대』의 토대가 된 단편 「반딧불이」의 화자이자 주인공이 "고등학교를 졸업하고 도쿄로 나왔을 때 내가 할 일은 한 가지밖에 없었다. 모든 것을 너무 심각하게 생각하지 말 것—그것뿐이었다"고 말하듯 벤은 종수에게, 즉 우리네 관객들에게 세상을 지나치게 복잡하게 바라보지 말고 단순하게 받아들여야 하며, 가슴속 깊은 곳에서 '베이스'를 느껴야 한다고 말한다. 그렇기에 그에게는 일정 시간이 흐르면, 종수와 해미의 외연적 세계가 따분해질 수밖에 없다. 그 따분함은 미소를 머금은 하품으로, 반복적으로 표현된다. 그래 두 달에 한 번꼴로 헛간을 태우듯 인간관계도 바꿔야 한다. 오해해선 안 되는 것은, 흔히 그렇게 이해되듯 외연이 육체로, 메타포가 정신으로 읽혀서는 안 된다는 것이다. 외려 그 반대인 감이 없지 않다. 벤은 철두철미 육체적인 즉자적 존재라면, 종수는 정신적인 타자적 존재라고 할까. 일종의 반전이요 역전인 셈이다. 〈버닝〉이 이 시대의 청춘에 관한 초상화이면서도, 상대적으로 낯설게 다가서는 이유 중 하나다. 그렇다면 해미는?

이미 말했듯 해미는 그레이트 헝거를 지향·갈망하는 리틀 헝거다. 리틀 헝거에게 그레이트 헝거는 미션 임파서블의 욕망이다. 충족·실현 불가능은 욕망이 욕망일 수 있는 전제다. 해미는 언뜻 종수와 같은 세계에 거하는 듯 보이나 실은 아니다. 그녀는 피츠제럴드의 그 유명소설 『위대한 개츠비』가 뭔지, 메타포가 뭔지조차 모른다. 흥미로운 것은 종수도 해미에게 메타포에 대해 설명하길 회피한다는 사실이다. 의도 여부를 떠나 해미라는 존재를 무시하는 것. 고로 해미는 종수의 세계에 속하지 않는다. 벤의 세계에 속하지 않음은 두말할 나위 없다. 몸을 써 연명해나간다는 육체성에서는 그 연결 가능성이 희미하게 존재하나, 그것은 일시적이며 일부일 따름이다. 그녀의 사라

짐은, 자의에 의해서건 타의에 의해서건, 예정된 것이다. 그녀는 사라짐으로써 자신의 존재 증명을 하는 셈이다.

'사라짐'은 죽음일 수도 있고 아닐 수도 있다. 벤의 입을 통해 "동시 존재"가 설명되듯, 동시적 함의를 띤다. 벤은 종수에 의해 살해당함으로써 외연적으로 사라진다. 해미의 사라짐은 그러나 죽음이라고 단정할 수 없다. 고양이 보일 시퀀스나 해미의 손목시계 등 일련의 단서들이 있긴 해도, 심증은 될 수 있을지언정 해미가 죽었다는 물증일 수는 없다. 종수는 자기만의 닫힌 세계에 갇혀 있기 때문이다.

이창동 감독은 칸 본상 아닌 피프레시상(국제영화비평가연맹상)을 받으며 다음과 같은 소감을 밝힌바 있다. "〈버닝〉은 현실과 비현실, 있는 것과 없는 것, 눈에 보이는 것과 보이지 않는 것을 탐색하는 미스터리였는데 여러분이 함께 그 미스터리를 가슴으로 안아주셔서 감사"하다고. 위 진술은 〈버닝〉에 다가

서는데 가장 적확한 요약이다. '미스터리'는 '사라짐'과 함께 〈버닝〉 해석에 절대적으로 필요한 키워드다. 여느 주류 대중영화에서 찾는 것처럼, "〈버닝〉에서 한 가지 정답을 찾으려 하거나, 자기가 찾은 답이 정답이라고 우기는 것은 헛수고이기 십상이다. 하나의 답이 도출된다면, 〈버닝〉은 미스터리가 아니기 때문이다. 하물며 그 영화가 삶의 우연성이나 아이러니, 불가사의 등을 극화해온 이창동 감독에 의해 빚어졌다면 더 말할 나위 없"지 않겠는가.

해석은 자유다. 하지만 텍스트의 정보·단서 등에 의해 일정한 제약이 따르기 마련이다. 과잉해석을 경계해야 하는 건 그래서다. 다시금 강조컨대 〈버닝〉에서 해미의 사라짐을 죽음으로 한정하는 것은 삼가야 한다. 많은 이들이 해석하듯 해미가 벤에 의해 살해당한 것인지, 그레이트 헝거를 찾아 자발적으로 사라져 어디서 지내고 있는지, 또 언제 어떻게 다시 나타날지— 나는 이렇게 독해하는 부류다— 는, 평론가인 필자는 물론 감독이자 공동작가인 이창동도 확언할 수 없다는 게 내 판단이다. 벤이 정말 해미를 죽였다면, 벤은 결국 싸이코 연쇄살인범이라는 것일진대, 그 얼마나 싸구려 3류 해석인가.

〈버닝〉의 중요 모티브 중 하나인 기억의 문제를 짚지 않을 수 없을 터. 오프닝 크레디트에도 명시되듯 영화는 하루키의 단편 소설집 『반딧불이』에 실려 있는 단편 「헛간을 태우다」를, 느슨할 대로 느슨하게 토대 삼아 빚어졌다. 그리고 하루키는 그 존재를 몰랐다고는 하나, 포크너 역시 완연히 다른 유의 동명 단편 소설(Barn Burning)을 썼다. 기억과 연관해 영화가 연결되는 텍스트는 하지만, 하루키의 그 단편보다는 하루키의 25주년 기념작 『어둠의 저편』이다. 〈버닝〉은 줄곧 우물이라는 물질을 통해 기억이라는 정신적 이슈를 다룬다. 우물은 무의식을 상징한다. 무의식은 결코 하나로 규정 불가능하다. 우물은 생명의 근원인 바 물이 없으면 생명과 무관하게 될 수밖에 없다. 소설에서 영화와 직결되는 대사가 나온다. "인간이란 결국 기억을 연료로 해서 살아가는 게 아닌가 싶어. 그 기억이 현실적으로 중요한가 아닌가 하는 것은, 생명을 유지하는 데 아무런 상관이 없지. 단지 연료일 뿐이야." 영상 아닌 말로만 등장하는, 〈버닝〉에서 우물은 소설의 위 진술의 재연 아닐까. 인물들 저마다 우물에 대한 기억이 다르다. 구로사와 아키라의 〈라쇼몽〉(1950)에서 하나의 살인을 두고 인물들이 하는 기억·설명이 다 다르듯이. 우물이 과연 실제했는지조차 확실치 않다. 기억이 현실적으로 중요한가 아닌가 여부는 생명을 유지하는 데 아무 상관이 없는 것이다.

또 다시 강변하련다. 〈버닝〉의 영화적 가능성들을 지나치게 협소하게 제한해, 자신의 편협한 해석들에 가두지 말라는 것이다. 그럼으로써 전문가건 비전문가건 공히, 상당 정도 영화를 몰이해·오독하고 있다고 여겨져서다. 또 플롯이나 캐릭터를 둘러싼 내러티브적 해석이나 그 의미·이데올로기에 집착하느라, 영화의 다른 '매혹들'(Attractions)을 간과하고 있지 않느냐는 것이다. "그 간의 이창동 영화들과는 다른, 음악 등 사운드 연출의 섬세함을, 마냥 외연·표면·기표 안에서 머무는 현실적인 종수와, 메타포·비유·기의 안에서 살아온 초현실적·재즈적인 벤, 그 둘 사이를 자유분방하게 오가는 무질서적인 해미 등 세 캐릭터의 개별성격화 및 상호플레이, 그리고 그 세 캐릭터를 열연하는 세 출중한 배우들의 주목할 만한 연기 등, 청·시각 등 내러티브를 넘어 빛을 발하고 있는 영화의 다른 층위들의 참맛도 만끽해보라는 것이다. 영화의 괴작스러움이 서서히 드러날 테니 말이다."

음악의 경우, 이창동 감독의 전작들과는 꽤 다른 연출을 드러낸다. 여느 BGM(BackGround Music)적 음악이 아니다. 모그가 작곡한 효과음적 저음 선율이 주를 이룬다. 마지막 순간 종수의 변화를 시사하며 그 톤이 한 차례 올라가긴 하나, 대개 베이스 톤으로 깔린다. 그 톤 앤 매너는 종수 캐릭터를 직접적으로 지시한다. 벤의 모티브는 철저하게 재즈적이다. 강렬한 록 비트도 없진 않아도, 집에서건 차에서건 재즈를 통해 벤의 자유분방함을 드러낸다. 시스타의 '터치 마이 바디' 등이 가리키듯, 반면 해미는 철저하게 통속적·세속적이다. 음악을 통한 성격화(Characterization)인 셈인 바, 이창동에게는 전례 없었던 파격적 스타일이다. 음악이 전면에 배치되는 것은 두 번 정도다. 특히 해미가 춤 출 때 나오는 음악이 결정적·압도적 인상을 선사한다. 루이 말 감독, 잔느 모로 모리스 로네 주연의 〈사형대의 엘리베이터〉(1957)에 쓰인 '제네리크'(Générique)다. 그 곡은 마일스 데이비스의 즉흥적 연주처럼 영화에 즉흥적 기운을 불어넣으며, 사운드에서만이 아니라 영상, 플롯 등 영화의 전 층위에서 변곡점적 기능을 한다. 그 곡에서 세 캐릭터가 통합될 뿐 아니라, 그 시퀀스 이후 해미가 사라지기 때문이다.

연기는 어떤가. 유아인은 여태껏 본 적 없는, 부드러우면서도 힘 있는 연기를 구사한다. 스티븐 연은 단순하면서도 복합적인 연기를 동시에 뽐낸다. 해미의 연기는 규정 불가능하리만치 다채롭다. 나올 때마다 다른 표정, 다른

이미지, 다른 분위기, 다른 함의를 입체적으로 발산한다. 내 기억에 한 영화에서 이렇듯 다채로운 연기를 구현한 예가 거의 없기에, 경이롭기까지 하다. 외연적으로는 아닐지언정 내포적으로 〈버닝〉의 진짜 주인공이 해미라고 여기는 것도 그녀의 연기가 한 몫 한다면 어떨까. 이런데도 그런 매혹들을 외면할 것인가.

결론적으로 "〈버닝〉은 문제적 작가 무라카미 하루키에서 출발해 문제적 작가 윌리엄 포크너로 나아가는, 문제적 감독 이창동만의 영화적인 너무나도 영화적인, 기념비적 모험이다." 한국, 아니 세계 영화사에 길이 남을 문제적 걸작…….

전 찬 일 _ chanilj@hanafos.com
영화평론가, 한국문화콘텐츠비평협회 회장, 《공연과리뷰》 편집위원,
'작가가 선정한 오늘의 영화' 기획위원. 저서로 『영화의 매혹, 잔혹한 비평』 등이 있음.

공작

감독 윤종빈
출연 황정민, 이성민, 조진웅, 주지훈
각본 윤종빈
제작 손상범
기획 조윤아
촬영 김용민
제작 영화사 월광, 사나이픽처스

거대한 구조 앞에서 마냥 무력하지만은 않은 개인.
총쏘지 않고도 첩보 스릴러를 만드는.
한국적인 첩보영화의 새로운 문법 제시.
감동보다는 재미를 선택.
영화는 1990년대 첩보영화로 시작하여, 잔존하는 반공세력의 추악한 민낯을 까발리는 정치영화를 경유하여 이제부터 주력할 남북관계의 기조를 암시하며 끝맺는다. 영화는 단순한 장르물이나 회고담에 머물지 않고, 리명운과 박석영의 관계를 통해 남북관계에 대한 희망을 투사하며 현실 정치에 대한 발언력을 지닌다.

— 추천위원의 선정이유 中

거대한 공작에 대한 "반격의 서막", 그리고 역사의 진전

— **윤종빈** 감독 **〈공작〉**

설규주 (경인교대 교수)

'극劇'보다 더 '극적劇的'인… 그래서 황당한…

'공작工作'이라는 말의 뜻을 사전에서는 ①노력이나 기술을 들여 물건을 만듦 ②일정한 목적을 위해 미리 일을 꾸밈, 이렇게 두 가지로 정의하고 있다. 영화 〈공작〉에서 '공작'의 의미는 ②에 더 방점이 찍혀 있긴 하지만 ①도 많이 담겨 있다. 가짜를 진짜처럼 보이게 하는 건 결코 쉽지 않다. 그러한 목적으로 일을 꾸미는 과정에서 얼마나 많은 노력과 기술이 들어갔던가.

〈공작〉의 소재는 실화다. 실화가 아니었다면 〈공작〉은 여느 첩보 영화 중 하나 정도로 남았을지도 모른다. 〈공작〉의 후반부 사건 전개가 너무 '극적'이라 '이건 영화니까 그럴 수 있어.' 하는 생각도 들지만, 이 사건이 오로지 '극'만은 아니라는 데 생각에 이르면 정신이 번쩍 든다. 더 놀라운 건 북한 정권과 한국 정권 사이에 있었던 거래다. 적대하고 있는 세력 간에 거래가 있었다는 것 자체는 새로울 게 없다. 어느 나라건 외교 당국 간의 이른바 '물밑 접촉'이라는 것은 존재할 수 있고 그 과정에서 무언가를 주거니 받거니 할 수 있는 거니까.

그런데 그 거래의 내용을 들여다보면 분노하지 않을 수 없다. 우리는 종종 '보고도 믿을 수 없다'는 말을 쓰는데, 이 경우가 딱 그렇다. 남한 정보 당국이 북한 정권에 상당한 돈을 주면서 무언가 요청을 하는데 그게 자그마치 '총격'이었다. 그것도 전시에 준하는 정도의 총격을… 한때 국가 교육과정에 따라 충실한 반공교육을 받아 왔던 사람들, 북한에서 온 거라면 하찮게 보이는 종잇조각 하나라도 신고해야 할 정도로 북한을 경계해야 한다고 배워왔던 사람들, 국가보안법 위반으로 고문을 당하고 감옥살이를 견뎌야 했던 사람들을 순식간에 바보로 만들어 버린 황당한 거래가 아닐 수 없다. 북한 관계자를 만나 총격을 요청한 행위야말로 "국가의 존립·안전이나 자유민주적 기본질서를 위태롭게 한다는 점을 알면서 반국가단체의 구성원 또는 그 지령을 받은 자와 회합·통신"을 한 국가보안법 위반 행위 아닌가.

진짜보다 더 많이 기억되는 가짜

판문점 공동경비구역에서 발생한 남북 간의 교전이나 북한의 무력 도발 역사는 꽤 길다. 1976년에는 그 참혹한 도끼만행사건으로 미군 장교 2명이 북한군에게 살해당했다. 1984년에는 당시 소련의 관광 가이드 1명이 남북군사정전위원회 회담 장면 촬영 중에 월남을 해왔고 그로 인한 총격전으로 국군, 미군, 북한군 사망자가 발생했다. 1996년에는 북한군이 갑자기 비무장지대를 인정하지 않겠다면서 판문점 주변에 병력을 집중 배치하였고 이는 며칠 남은 총선에 큰 변수가 되었다. 2017년에는 공동경비구역에서 근무하던

북한군 병사가 갑자기 군사분계선을 넘어 내려왔고 이를 저지하기 위한 북한군의 집중 사격이 있었지만 결국 그 병사는 월남에 성공하였다.

이 중 1996년 총선을 앞두고 발생한 판문점 무력시위는 가짜로 간주된다. 북한의 무력 도발 자체는 실제로 있었지만, 그것은 한국 정부와의 공모 속에서 기획된 것이며 따라서 남쪽에서 이미 예상하고 있었음에도 선거에 이용하려고 과잉 대응한 것이라고 보기 때문이다. 그래서 인터넷에서 이 사건을 검색하려면 '판문점 도발'보다는 '북풍北風 조작'이라는 단어를 사용하는 편이 훨씬 빠르다. 진짜 도발이 아닌 가짜라면 지워져야 하고 잊혀야 하는데 그게 그렇지가 않다. 이 가짜 무력 도발은 남북 관계 역사의 한 페이지를 차지하며 또렷하게 남아 있다. 때로는 진짜보다 더 생생하게. 그리고 부끄럽게. 1997년 12월 대선 직전에 미수로 끝난 총격 요청은 두 말할 것도 없다. 이건 아예 '안기부 북풍 조작 사건'이라는 이름으로 불린다. 이 두 사건은 총선, 대선이 있는 해에는 어김없이 소환되어 진짜보다 더 인기 있고 유명한 가짜로

자리를 잡았다.

영화 속 가짜들의 향연

판문점에서 북한이 벌인 가짜 무력 도발 외에도 〈공작〉에는 가짜가 참 많이 등장한다. 박석영(황정민)이 리명운(이성민)에게 선물로 준 롤렉스 시계도 가짜고, 이에 화답하듯 리명운이 박석영을 시험하기 위해 건넨 고려청자도 가짜다. 리명운이 박석영 가슴에 신뢰의 표시로 달아준 배지는 사실 도청장치였으니 이것도 가짜다. 북한에서 남한 광고를 찍기 위해 먼저 답사를 하고 사진을 찍는다는 것도 가짜다. 진짜 목적은 핵시설 염탐에 있었으니까. 보다 근본적으로는 사업가로 위장한 박석영이라는 인물 자체가 가짜다. 등장인물들의 입에서 나온 말에도 가짜가 난무한다.

〈공작〉의 수많은 대사 중 가짜의 극치라고 생각되는 부분은 '국가'나 '조국'을 위한다는 표현이었다. 안기부장도, 안기부 실세 간부도, 국회의원도,

사업가로 위장한 안기부 공작원도, 조선노동당 간부도, 북한군 장교도 저마다 국가나 조국을 전가의 보도처럼 꺼내든다. 그들은 입버릇처럼 자신이 하(고자 하)는 일은 국가를 위한 것이라고 강조한다. 대체 그들에게 국가란 뭐길래?

영화 〈변호인〉에서 송우석(송강호)은 변론 중에 국가가 뭔지 묻고 그 답도 주었다. 그는 헌법 제1조 2항을 인용하며 "국가란 국민입니다."라고 일갈한다. 〈공작〉은 다른 방식을 취한다. 여기에는 국가가 무엇인지에 대한 질문도 없고 답도 없다. 국가, 조국, 공화국, 민족 등이라는 말이 반복해서 등장할 때마다 그 말을 사용하는 사람들은 국가가 무엇인지 알고 말하는 것처럼 보인다. 그렇지 않고서는 그렇게 자신 있게 말할 수 없을 것 같다. 그런데 영화를 보는 사람은 그렇지 않다. 등장인물들이 말하는 국가가 무엇인지에 대한 의문만 늘어간다.

게다가 그들이 되뇌는 '국가를 위해'라는 취지의 말은 상당한 피로감을 준다. 왜 그럴까. 사랑하는 사람에게서는 사랑한다는 말을 아무리 많이, 아무리 자주 들어도 질리지 않는다. 거기에는 진정성이 있기 때문이다. 그런데 '국가를 위한다'는 말은 왜 그렇게 들리지 않을까. 개개인보다 훨씬 크고 높고 숭고해 보이는 국가를 위한다는데….

등장인물들의 말이 아니라 행동을 통해 그들이 말하는 국가가 무엇인지 유추해 볼 수는 있다. 그들이 그토록 위한다는 국가는 사실 자신이 몸담고 있는 특정 조직과 그 세력에 불과했다. 보다 근본적으로는 그 조직을 이용해 살아가는 자기 자신이라고 봐도 무방하다. 안기부장에게는 안기부가 국가고, 국회의원이나 당 간부에게는 소속 정당이 국가고, 군 장교에게는 군이 국가다. 〈공작〉에서 안기부장(김응수)은 총격 요청 여부를 놓고 고민하는 안기부 실장(조진웅)에게 솔직하게 고백한다. "일단 대선부터 이겨놓고 생각합시다. (지금) 부대가 전멸하게 생겼는데…" 사실은 이렇게 자기가 소속된 조직이나 자신의 안위를 위해 일하면서도 겉으로는 국가를 내세워주면 자신의 임무를 좀 더 당위적이고 신성한 것으로 보이게 하는 효과가 있다. 그러나 그건 사실이 아니라 신념이나 자기 최면에 가깝다. 그래서 가짜다. 아무리 포장해도 가짜는 진짜가 되지 못한다.

국가주의의 그늘

2008년 미국 민주당 대통령후보 경선 기간에 버락 오바마의 부인 미셸 오바마는 "내 인생에서 처음으로 내 나라가 정말 자랑스럽다."고 말한 적이 있다. 여기서 국가는 특정 조직이 아니라 말 그대로 국가, 즉 미국을 가리킨다. 이 발언 때문에 오바마 선거 캠프는 다른 진영으로부터 어떻게 조국을 자랑스러워한 적이 없는 사람이 '퍼스트 레이디'가 될 수 있겠느냐는 공격을 받기도 했지만, 미셸 오바마가 한 말의 전체 요지는 '이전까지는 미국이 자랑스럽지 않았다.'가 아니라, '새로운 변화와 정치를 갈망하는 사람들 덕분에 희망을 볼 수 있어서 미국이 자랑스럽다.'는 것이었다. 다시 말해서 그냥 '미국'이 아니라 '제대로 된 미국'이라야 자랑스러워할만 하다는 것이다.

우리는 어떤가. 국가에 대해 어떻게 고백하고 있는가? 1968년 만들어진 '국기에 대한 맹세' 문구에는 "조국의 통일과 번영을 위하여 정의와 진실로써 충성을 다할 것을 다짐"한다는 내용이 있다. 1972년판에서 이 맹세의 정도는 훨씬 강해졌다. "조국과 민족의 무궁한 영광을 위하여 몸과 마음을 바쳐 충성을 다할 것을 굳게 다짐"한다는 표현으로 수정된 것이다. 이것이 2007년판에서는 "자유롭고 정의로운 대한민국의 무궁한 영광을 위하여 충성을 다할 것을 굳게 다짐"한다는 표현으로 바뀌었다. 유독 2007년판에만 대한민국 앞에 수식어가 들어 있다. 충성의 대상이 "조국"에서 "자유롭고 정의로운 대

한민국"으로 바뀐 것이다. 이것은 우리나라가 '그냥' 대한민국이기만 하면 되는 것이 아니라 '자유와 정의로 반듯하게 서 있는' 대한민국이어야 한다는 의미로 해석할 수 있다.

여전히 2007년판 '국기에 대한 맹세'가 사용되고 있던 2016년–2017년 도심 한복판에서는 '이게 나라냐'라는 구호가 울려 퍼졌다. 이건 무얼 의미하는가. 충성의 대상이어야 할 대한민국에 대한 불경함인가? 충성의 대상으로서의 자격을 갖추지 못한 대한민국에 대한 안타까움인가? 이 구호 속에 국가에 대한 자랑스러움이 묻어 있었을까? 비록 그 외침 깊은 자리에는 나라에 대한 애정이 담겨 있었을지라도, 적어도 그 시점에 '내가 사는 나라, 자랑할 만하네.'라는 생각으로 '이게 나라냐'라고 목소리를 높이는 사람이 있었을까? 그 반대였을 것이다. 오히려 당시 우리나라가 너무 부끄러워서, 더 이상 볼 수가 없어서 터져 나온 구호였을 것이다.

그럼, 나라가 잘 돌아가기만 하면 그건 자랑스러워해도 된다는 걸 의미하는

가? 1960년대에 만들어진 〈국민교육헌장〉에서처럼 "나라의 융성이 나의 발전의 근본임을 깨달아", 중요한 경제 지표에서 우리나라가 높은 자리를 차지하고 세계 시장에서 우리나라 제품이 위세를 떨치고 있으면 마치 자기 자신이 잘나가는 것처럼 마냥 좋아하면 되는가? 그저 나라가 발전하면 그만인가?

물론 나라가 엉망인 것보다는 잘 나가는 것이 당연히 좋다. 그런데, 국가 그러니까 대한민국의 발전을 위한다는 명분이 있으면 무슨 일이든 불사해도 되는 것인지는 한번 짚어볼 필요가 있다. 〈공작〉에서처럼 궁극적으로 나라를 위한 일이라면 '공작'을 해도 괜찮은가? 공작을 통해 무언가를 얻어 낸 국가를 우리는 자랑스러워할 수 있는가? 〈공작〉이 다루고 있는 1996년, 1997년 선거 관련 공작 말고도 과거 국가 기관이 '국가를 위해' 기획한 공작 사건이 적지 않은데 결과적으로 국익에 이바지한 것이라면 면죄부를 줘도 괜찮은 것인가?

곳곳에 퍼져 있는 '공작'의 그림자

국가를 위해 공작을 일삼는 모습은 최근 우리나라 스포츠계를 흔들고 있는 폭력 사태를 떠올리게 한다. 특히 국제대회에서 (금)메달을 따는 것이 코치와 선수에게는 지상 과제였고 그것을 위한 수단으로써 폭력은 널리 용인되어 왔다. 심지어 효과적인 수단으로 애용되기까지 했다. 폭력은 때로는 선수들의 기량을 극대화시킨다는 명분으로, 때로는 특정 선수를 밀어주기 위한 도구로 활발하게 사용되었지만 가해자들의 공모 속에 철저히 은폐되어 왔다. 그 때문에 그렇게 질긴 생명력을 유지해 올 수 있었다. 그렇게 해서 악착같이 모은 메달 수는 메달 집계 순위에서 우리나라를 늘 상위권에 올려놓았다. 한국 국민으로서 그러한 결과 자체는 기분 좋은 일이다. 그러나 그 메달 중 상당수가 선수들의 땀과 노력만이 아니라 폭력으로 인한 눈물과 고통의 산물이기도 했다는 사실을 알게 된 지금, 그 높은 순위는 자랑스러움보다는 오히려 부끄러움과 미안함을 자아낸다.

스포츠계의 폭력은 국가 기관의 공작과 놀랄 만큼 닮아 있다. 표면적으로 그것은 모두 국가를 위한 일이었다. 그러나 실제로는 특정 조직과 일부 구성원의 안위를 위한 것이었다는 것이 더 진실에 가까워 보인다. 스포츠계 이면의 진실이 조금씩 알려지고 있는 지금 상황에서 우리는 우리나라가 딴 수많은 금메달을 보며 마냥 뿌듯해할 수 있을까? 그걸 차마 자랑스러워하지 못하는 사람은 애국심에 문제라도 있는 것일까. 국가 기관의 공작에 의한 성취에 대해서도 같은 질문을 던져보아야 한다.

"반격의 서막"

언제는 안 그랬을까마는 요즘도 우리나라에는 뉴스가 넘친다. 특히 곳곳에서 과거의 악습이 밝혀지고 그로 인한 충격과 실망이 하루가 멀다 하고 이어진다. 영화 〈공작〉도 그 흐름 속에 있다. 영화는 20여 년 전 남한 정보 당국과 당시 여당의 어처구니없는 자가당착을 고발했다. 이처럼 뒤늦게라도 그동안의 거짓과 잘못을 공작해 온 관행이 세상에 알려지고 그에 대한 단죄와 대안 모색을 촉구하는 목소리가 높아지고 있는 것은 그나마 다행이다. 비록 과거의 공작으로 인해 많은 이들이 겪어야 했던 슬픔과 피해를 돌이킬 수는 없지만….

국가 기관의 거대한 권력과 관계자들의 막강한 카르텔에 균열을 낸 것은 그에 필적할만한 또 다른 강한 세력이 아니라, 조직과 국가의 부속품쯤으로 여겨져 온 개인인 경우가 많다. 〈공작〉에서 숱하게 등장하는 가짜 속에서도 아마도 '유이'하게 서로에 대한 진정어린 신뢰와 국가에 대한 진심을 끝까지 붙들고 있었던 박석영(황정민)과 리명운(이성민)이 반전을 만들어 낸 것처럼. 그동안 국가라는 이름을 팔아가며 사익을 추구해 온 일부 법조계, 정치계, 스포츠계 등의 견고한 시스템에 몇몇 개인이 몸을 던져 조금씩 공론화를 이끌어 내고 있는 것처럼. 반격은 그렇게 시작되고 역사는 앞으로 나아간다.

이제야 미국이 자랑스럽다는 미셸 오바마의 발언을 다시 생각해 본다. 스포츠든 정치든 경제든 과거의 '공작' 악습으로부터 벗어나고 그 상처를 치유해 내면 한국은 "자유롭고 정의로운", 그래서 마음 놓고 자랑스러워할 만한 국가가 될 수 있을까? 아니면 그때쯤엔 그 정도는 너무 당연해서 '국가'라는 것을 개인의 자랑거리로 삼는 것 자체가 일종의 넌센스가 되어 있을까?

설 규 주 _ qzoos@hanmail.net
서울대학교 사회교육과 학사, 석사, 박사 졸업. 현재 경인교육대학교 사회교육과 교수.
문화와 미디어에 관심을 가지고 연구하고 있음.

임순례 감독

리틀 포레스트

감독 임순례
출연 김태리, 류준열, 진기주
각본 황성구
제작 구정아
기획 신범수
촬영 이승훈
제작 영화사 수박

힐링, 먹방, 소확행, 이 시대 키워드를 관통하는 영화.
휴식과 위로가 필요한 사람들에게 드리는.
먹을 수 있음이 얼마나 감사한 일인지,
나의 삶에 얼마나 많은 생명이 연결되어 있는지
조용하고도 선명한 깨달음을 주는 영화이다.
음식에는 추억이 있고 함께 한 사람이 있다.
온기가 있는 생명에 의지하여
나만의 작은 숲을 찾으려하는 혜원은
이제 인생의 더 깊은 맛을 알아갈 것이다.
처자들이 꿈꾸는 자연주의, 농촌로망.

— 추천위원의 선정이유 中

정신적 허기의 해소와 자신의 숲으로 귀향

— 임순례 감독 〈리틀 포레스트〉

문학산(영화평론가, 부산대 교수)

우리는 모두 혜원이다

보르헤스는 '불멸은 시람들의 기억' 속에 있다고 했다. 문학평론가 이남호는 〈알무타짐을 찾아서〉라는 글에서 '알무타짐을 찾아서 나서는 순례자 이야기는 인간은 모두 자신을 찾는 순례자라는 사실'을 역설한다고 했다. 인간은 알무타짐을 찾아 나서지만 결국 스스로가 알무타짐이라는 사실을 깨닫고 순례에 마침표를 찍는다. 여행자는 목적지를 향해 여행의 길을 떠나지만 결국 도달한 것은 자신과의 대면이기도 하다. 결국 여행은 미지의 장소에 대한 기대로 시작하지만 여행자 스스로의 내면의 자아를 만나고 돌아온다. 임순례 감독의 〈리틀 포레스트〉는 임용고시를 치르고 고향으로 돌아온 혜원(김태리 분)이 '자신은 이 세상의 땅 위에 자라는 어떤 식물이며 어디에 뿌리를 내려야하는가'를 질문한다. 혜원은 임용고시에 실패하고 돌아온 여성이지만 영화 속에 고향을 떠나지 못하는 은숙(진기주 분)과 대기업에 다니다 '다른 사

람이 결정하는 인생을 살고 싶지않아서' 귀향하여 과수원에서 사과 농사를 짓는 재하(류준열 분)는 모두 혜원의 다른 이름들이다. 그들이 찾는 것은 각자의 알무타짐이지만, 〈리틀 포레스트〉에서는 자신만의 숲이다. 작은 숲은 이 작품의 주제와 풍경을 대변하는 단어다.

혜원은 고향으로 돌아온다. 그녀는 임용고사를 치르고 실패하여 낙향하는 것이 아니라 떠났던 고향으로 돌아온 것이다. 스스로 내면 독백을 통해 "나는 (서울에서) 여기로 떠나온 것이 아니라 돌아온 것"이라고 했다. 그녀가 돌아온 곳은 고향이자 엄마의 기억이 양파처럼 살아서 자라고 있는 곳이며 자신이 찾는 숲이 있는 곳이다. 제목 〈리틀 포레스트〉는 이 작품의 힌트를 함축하고 주제가 곶감처럼 열려 있다. 고향은 그녀가 살았던 곳이기도 하지만 정신적 고향상실을 겪는 우리 모두의 본향이기도 하다.

정신적 허기를 달래는 방법

혜원은 고등학교 삼학년 때 떠난 어머니에 대한 기억과 서울에서의 아르바이트 생활과 임용고시 준비로 인해 몸과 마음이 모두 지쳐 있다. 경제적인 이유는 아르바이트라는 임시직에 기대어 살아가는, 가뭄에 가지에 매달린 토마토로 전락한 서울 생활이다. 보다 근본적인 이유는 은유적으로 드러낸다. 그녀는 아르바이트하면서 인스턴트식품을 먹으면서 살아야 한다. 그녀의 삶은 청년 세대의 대표성을 지니며 서울에서 생활은 인스턴트 음식을 먹으면서 임시직으로 살아야하는 도시의 청춘이다. 고향에 도착하여 그녀가 가장 먼저 한 일은 겨울의 배추밭에서 배추를 캐서 전을 만들고 수제비를 끓여먹는 일이다. 비로소 그녀는 안도하면서 귀향의 목적이 "배고파서 내려왔다"고 말한다. 이 배고품은 이중적이다. 그것은 육체적인 배고픔과 정신적인 허기를 대변한다. 육체적인 배고픔은 아르바이트와 인스턴트 음식의 섭취로 요약된다. 이 배고픔은 고향에서 수제비를 끓여먹고, 떡을 만들어먹고 파스타를 만들고 가을의 밤 조림을 만들어 먹으면서 어느 정도 완화되고 일시적으로 해소된다. 하지만 근본적인 문제의 해결은 정신적 허기를 채우는 것이다. 정신적 허기는 고등학교 수능시험을 치르고 나서 겪은 엄마의 가출이고 교원 임용고시를 함께 준비했던 남자친구와 불편한 관계 등으로 상존한다. 혜원의 정신적 허기는 차츰 차츰 음식을 통해서도 해소된다. 방향은 구조적 질문보다 개인적 해결 방식에서 찾는다. 이 지점이 첫 작품 〈세친구〉와 〈리틀 포레스트〉를 가르는 지점이다.

음식은 음식의 종류와 누구와 함께 먹느냐의 문제로 갈린다. 혜원은 유년시절 친구들에게 왕따를 당하여 속상해서 마루에 걸터앉아 있을 때 엄마가 만들어준 크렘 브륄레로 기분을 전환하였다. 음식 치유의 마술은 현재진행형으로 지속된다. 혜원과 은숙은 절친이지만 은숙의 부장의 뒷담화와 조직

생활의 어려움을 혜원이 적극적으로 공감하지 않았던 문제로 서로 갈등한다. 뒤틀린 은숙의 마음을 풀어주기 위해 혜원은 은숙의 근무처인 농협의 창구에 크렘 브륄레를 놓고 간다. 은숙은 요리를 한 스푼 먹으면서 그녀와 갈등을 해소할 의지의 표시로 미소를 짓는다. 음식은 상호간의 심적 갈등이라는 정신적 문제를 해소시켜준다. 은숙과 혜원은 재하의 여자 친구가 동네에 나타나자 상심한다. 은숙은 혜원에게 음식으로 기분을 풀어달라고 조른다. 혜원은 매운 떡볶이 조리법을 알려주면서 두 사람은 떡볶이 요리를 완성한다. 뒤늦게 방문한 재하는 두 여성의 얼굴이 상기된 것을 보고 무슨 일 있는지 묻는다. 그들은 매운 떡볶이로 인해 표정이 바뀐 것이고, 청춘의 매운 감정의 몸살을 떡볶이를 통해 표현한다. 재하도 합류하여 음식을 먹으면서 땀과 눈물을 흘린다. 세 사람 사이의 어색한 감정은 음식을 통해 완화되고 감정의 허기를 지워가는 코믹한 장면이다. 음식은 마음의 갈등을 완화해주고 정신적 허기를 달래주는 매개로 활용된다.

또한 음식은 누구와 함께 먹느냐와 혼자 먹느냐라는 차이에 따라 정신적 허기를 가늠할 수 있다. 고등학교 시절까지 혜원은 엄마와 둘이서 함께 요리한 음식을 나누어 먹었다. 아버지가 부재했지만 그 부재의 자리를 음식과 엄마의 사랑이 채웠다. 서울에서 혜원은 아르바이트를 하면서 혼자 인스턴트 음식을 먹으면서 혼밥으로 인한 정신적 허기와 패스트푸드로 인한 육체적 허기를 동시에 감당해야 했다. 하지만 고향 미성리로 내려온 다음에는 친구들과 팔 케이크를 나누어먹고 그 케이크가 엄마의 케이크와 어떻게 다른가를 변별할 만한 미감을 갖고 있는 재하가 곁에 있다. 그녀는 드디어 직접 요리해서 먹는 음식과 함께 먹을 수 있는 유사가족인 친구로 인해 정신적 허기의 작은 공백이 채워진 것이다. 정신적 허기의 기원은 더 거슬러 가면 세상에 자신을 어떻게 심을 것인가이다. 친구 재하의 말대로 혜원은 아주심기를 위한 성장통을 겪고 있다. 아주심기는 양파를 기를 때 처음 모종에 심은 다음 기름진 땅으로 옮겨 심는 것이다. 아주 심은 양파는 겨울을 나게 한다. 이렇게 겨울은 난 양파는 단단하고 육질이 좋아진다. 혜원의 서울 이주와 다시 고향으로 귀향은 아주심기 위한 과정으로 여겨진다. 남편을 일찍 보낸 엄마에게 혜원이 보고 싶은지 묻는다. 엄마는 먹고 있던 토마토를 땅에 던지면서 '저렇게 던져 놓아도 토마토는 다시 열린다'고 말한다. 완숙된 토마토는 아무렇게 땅에 던져도 싹이 트고 열매를 맺는다고 혜원은 내레이션으로 전한다. 그리고 토마토를 던지는 행위는 보고 싶다는 의미임을 알게 된다. 〈리틀 포레스트〉에서 음식은 정신적 허기의 치유약이면서 삶의 이치를 보여주는 교과서로 자리한다.

자신의 작은 숲을 찾아서

혜원은 음식을 준비하거나 먹다가 엄마의 기억을 반추한다. 그리고 숲속에서 내면의 대화를 통해 엄마의 숲이 간직하는 의미를 발견하게 된다. 그것은 감을 깎아 곶감을 만들다가 문득 떠오른 과거의 기억의 틈입으로 보여준다. 현재에서 곶감을 매개로 과거로 전환되면 혜원 엄마는 도시로 가겠다는 혜원의 의견에 대해 반대한다. 그리고 열린 곶감을 하나씩 주무르면서 '겨울이 와야 정말 맛있는 곶감을 먹을 수 있다'고 말한다. 그리고 혜원 엄마는 수능 시험이 끝난 얼마 후에 혜원이 네 살 때 내려온 미성리 집을 떠난다. 그녀는 딸 혜원에게 편지 남기고 간다. 그 내용을 겨울의 장면에서 비로소 보이스오버 내레이션을 통해 전해준다. 혜원 엄마가 집을 떠난 이유는 '자신이 포기했던 일을 하고 싶다는 것'이며 혜원이와 함께 오랫동안 미성리에서 살았던 이유는 "너를 이곳에 심고 싶었고 뿌리를 나게 하고 싶어서"라고 밝힌다. 혜원 엄마는 혜원이를 이곳 아름다운 자연 속에 아주심기를 하고 싶었던 것이다. 그리고 혜원 엄마는 잘 돌아오기 위한 긴 여행을 떠나겠다고 첨언해둔다. 비로소 혜원이는 엄마의 집을 떠난 이유를 헤아리게 된다. 혜원이는 보이스 오버 내레이션으로 그녀의 깨달음을 보여준다. 그 장면은 혜원이가 어린 시절 평온한 숲에서 엄마를 찾는다. 숲속에 난 길 위에서 혜원 엄마가 어린 혜원을 조용히 바라본다. 그 다음 장면에 성장한 혜원이 엄마의 자리를 대체하고 서서 엄마만의 숲의 의미를 깨닫게 된다. 혜원이와 그녀의 엄마는 숲을 공유하는 쌍둥이 같다. 그녀는 엄마의 숲에 대해 전한다. 그것은 "그동안 엄마에게 자연과 요리 그리고 나에 대한 사람이 엄마의 작은 숲"이었다는 사실에 대한 내면 독백으로 관객에게 선명하게 들려준다. 그리고 스스로도 자신의 작은 숲을 찾아야겠다고 다짐한다. 그녀가 찾을 숲은 엄마의 편지에 힌트로 제시되어 있다. 엄마는 편지에서 힘들 때 찾아올 수 있는 이곳에 너를 심어 두고 싶었다고 말한 바 있다. 혜원이의 숲은 엄마가 미성리라는 고향을 준비해둔 것이다. 혜원이는 서울에서 자신의 숲을 찾았지만 실패하였고, 정작 그녀의 작은 숲은 자신의 살고 있는 곳, 고향일지도 모른다. 그래서 그녀는 다시 겨울에 떠난 다음 봄에 자신의 숲으로 돌아온다. 오구도 돌아오고 봄도 돌아오고, 친구들도 돌아온다. 그들은 고향에서 청춘의 숲, 그들만의 숲을 이루고 있었던 것이다.

문 학 산 _ cinemhs@daum.net

영화평론가, 부산대 교수. 부산대영화연구소 소장, 한국영화학회 편집위원장, 저서로 『10인의 한국영화감독』(2004), 『한국독립영화감독연구』(2012) 등 현재는 오즈, 알모도바르,히치콕, 지아장커 등 세계영화 감독을 연구 중.

미쓰백

감독 이지원
출연 한지민, 김시아
각본 이지원
제작 강가미
기획
촬영 강국현
제작 영화사 배

아동학대의 현주소에 분노하며 아동권익 보호를 위한
강력한 문제제기의 목소리가 뜨겁다.
백상아리처럼 날카로웠던 한지민의 연기 변신에 감사.
아동학대를 받고 자란 여성이 같은 입장에 처한 소녀와
연대한다는 내용의 사회비판 영화.
모성에 대한 새로운 접근, 아직도 멜로가 필요한 이유.
감정이 살아있는 영화.
시대 고발극으로, 한지민의 배우로 재탄생.
스크린에서 다루기 힘든 아동학대와
여성간의 연대를 그린 점에서 그 자체로 의미가 있음.
진정한 여성영화.

— 추천위원의 선정이유 中

미쓰백을 변호하기 위한 스무 가지 단상과 주석

— 이지원 감독 **〈미쓰백〉**

최창근(극작가 겸 연출가)

일체 중생에게 병이 있으니 제가 아픈 것입니다
만일 중생들의 병이 없어진다면 제 병도 나을 것입니다
– 유마거사가 병문안 온 문수보살에게 남긴 말

전사前史

하나. 그의 몸이 허공으로 솟아올랐다. 그의 앞치마가 주르르 흘러내리고 세 치 혀를 녹이던 머리칼이 마른 수수깡처럼 맥없이 뜯어져 내렸다 칼날같은 비가 하늘에서 마구 쏟아졌다. 나를 쳐다보던 그 먹먹한 눈빛 난 널 몰라 난 널 모른다 난 널 낳은 적이 없어 내 여자는 내 앞에서 고장 난 시계처럼 그렇게 망가졌다. 잘려진 머리칼을 받아서 여자의 질 속으로 집어넣고 함부로 헤집던 낯선 사내의 희디흰 손가락. 나는 조각 조각난 내 몸의 부스러기

를 한 줌 눈물도 없이 마른 빵을 씹던 예전처럼 울컥불컥 잘도 씹어 삼켰다. 목이 말랐다 목이 갈라졌다 두 목이 쪼개졌다 그 목을 죽이고 싶었다.

둘. 술에 취한 그가 어느 날 느닷없이 들이닥쳐 온 집안을 아수라장으로 만들어버릴 때면 아이는 집에서 도망쳐 나와 옥상에 숨어서 소리 죽여 울거나 이웃집 대문 옆에 쭈그려 앉아 떨고 있어야 했다. 그때 올려다봤던 밤하늘은 아이에게서 왜 그렇게 멀리 떨어져 있었던 걸까. 평소에는 법 없이도 살 사람이 왜 술만 먹으면 폭군으로 돌변해 가족을 괴롭히는 걸까. 아이는 알 수 없었다.

셋. 어쩌면 할머니와 아이는 그 시절을 서로가 서로에게 의지하며 이겨낸 걸까. 두 사람이다. 두 사람이었지만 우리는 이 세상에 단 하나였다. 할머니와 아이는 이 세상에서 단 하나의 가족이었다.

배경

넷. 한국사회의 병리적 현상. 뒤늦게 발견되는 변사체. 주로 지하 단칸방의 모녀 혹은 독거노인들. 가난을 비관한 음독자살. 막다른 골목에 몰린 사람들. 지구로부터 추방당한 외계인들. 독점 자본이 뒤덮은 대한민국의 현주소.

다섯. 부모와 자식. 아버지와 딸 어머니와 아들 그리고 아버지와 아들 어머니와 딸. 기원을 알 수 없는 머나먼 곳으로부터 밀려오는 도무지 알 수 없는 복수의 씨앗(들). 피는 더 이상 물보다 진하지 않다.

여섯. 이론으로 설명할 수 없는 영화가 있다. 그냥 온몸으로 껴안아야 하는 영화가 있다. 〈똥파리〉(2009), 〈파수꾼〉(2011), 〈한공주〉(2013), 〈들꽃〉(2015), 〈꿈의 제인〉(2017) 같은 영화들. 독하고 아린, 보들레르의 〈악의 꽃〉 같은 영화들.

인물

일곱. 미쓰백은 폭력을 행사하는 어머니로부터 버림받고 전과자 경력도 있는 불행아. 미쓰백(Miss Back). 빗나간 인생, 돌이킬 수 없는 과거. 백상아는 그렇게 자랐다. 날 건드리지 마. 세상이 날 버렸으니 이제 내가 세상을 버릴 차례다. 날 버린 세상을 용서하지 마라. 날 버린 세상과 쉽게 화해하지 마라. 치열한 싸움 없는 화해는 거짓 화해이니 절대 날 버린 부모를 용서하지 마라. 그 누구와도 타협하지 마라. 자장면이 아니라 짜장면인 것처럼 미스백이 아니라 미쓰백이다, 난.

여덟. 세상으로부터 버림받아 주눅 든 아이. 누가 때릴까봐 겁부터 내는 아이. 주변사람들의 눈치만 보는 아이. 제 나이보다 훨씬 늙어버린 아이. 그렇지만 어른보다 당찬 아이. 어른 같은 아이. 내 이름은 지은.

장면 1

아홉. 첫 만남 그리고 포장마차. 바닥에 떨어진 컵을 줍기 위해 상아가 몸을 숙이는 순간 자신을 때리려는 줄 알고 지레 겁을 먹고 방어 자세를 취하는 지은. 아줌마, 잘못했어요. 잠시 사이. 영원보다 긴 찰나. 미쓰백. 아줌마 아니라고… 그렇게 불러.

맥락

열. 세상에는 왜 이렇게도 아픈 사람들이 많을까. 아프면서도 정작 아프다고 비명도 못 지르는 사람들. 이 수많은 아픔을 어떻게 껴안아야 할까. 옛 시절 불교의 어느 경전에서 한 거사는 중생이 아프면 나도 아프다고 했는데, 그 아픔이 사라지면 나의 병도 낫는다고 했는데. 짐작조차 할 수 없는 세상의 고통. 고통의 한가운데로 끝없이 추락하는, 날개 잃은 천사.

열하나. 아픈 사람들은 아픈 사람들끼리 그렇게 만난다. 상아는 그렇게 지은을 만난다. 지은을 통해 어릴 때의 나를 본다. 자신의 과거를 만난다. 지은은 나중에 상아처럼 될 것이다. 나의 미래. 곧 너의 미래. 그리고 우리의 미래. 지우기 힘든 문신처럼 상아의 등에 아로새겨진 매 맞은 자국을 발견하는 순간 지은은 그 폭력의 흔적을 지우기라도 할 듯 안쓰럽게 어루만진다. 무식해서 가르쳐줄 것도 없고 뭐 가진 것도 없어서 줄 것도 없지만 대신 네 곁에 있을게. 지켜줄게. 나도 지켜줄게요.

이미지–몸

열둘. 잉싱하고 힐벗은 발. 상아의 눈에 지은의 발이 먼저 들어온다. 맨발. 세상의 폭력을 온몸으로 감당하는 어린 석가(예수)의 발.

열셋. 손으로 이어지는 무언의 대화. 주저하고 망설이다 끝내는 놓칠 수 없이 꽉 잡게 되는 손. 손의 연대. 뜨거운 손의 숨결.

열넷. 길고 길게 이어지는 단 한 번의 포옹. 이제 우리는 동지가 됐어요.

장면 2

열다섯. 놀이공원. 네 엄마는 어디 있니? 천국에요. 아빠와 나만 없으면 엄마는 그곳이 천국이랬어요. 침묵. 찰나보다 긴 영원. 미쓰백 엄마는요? 지옥에. 그 순간 지은은 상아의 머리를 쓰다듬어준다. 자신이 그녀의 엄마라도 되는 양.

역할

열여섯. 배우는 선한 역이든 악한 역이든 자신이 맡은 인생의 역을 몸에 차곡차곡 쌓아간다. 그리고 누구나 한번쯤 일생에 꼭 한번 하게 되는, 해야만 되는 작품을 만난다. 백상아를 겪어낸 한지민은 이제 그 이전의 한지민으로 돌아갈 수 없을 것이다. 이후에 맡을 그 어떤 역도 백상아를 피해갈 수 없을 터. 배우에게 드리워진 삶의 그늘. 연기 안에서 살아낼 수밖에 없는 배우의 인생. 백상아의 인생.

열일곱. 어린 백상아를 보는 듯한 착각에 빠지게 만든 지은 역의 김시은과 사랑에 순정을 바치는 장섭을 능청스럽게 살아낸 이희준 뿐만 아니라 연극판에서 잔뼈가 굵은 김선영(장후남 역)과 특별출연한 백상아의 엄마 장영남(정명숙 역)의 연기는 영화의 완성도를 높이는 데 단단히 한 몫 한다. 거침없는 서민의 말투. 몸에 밴 자연스러움. 악역으로 변신한 지은의 의붓엄마 권소현(주미경 역)과 지은의 친아빠 백수장(김일곤 역)의 연기도 눈부시다. 그러니까 이 영화는 플롯의 영화라기보다 캐릭터의 영화.

구도構圖

열여덟. 어두운 톤. 흔들리는 카메라. 거칠고 어두워야 한다. 세상이 어두운데 영화가 밝을 수는 없지.

덧붙임

열아홉. 결핍과 콤플렉스로 점철된 인생. 무자비한 인간의 생. 짐승보다 불우하고 치욕적인. 욕지기가 솟아오르는 땡볕의 나날들.

결結

스물. 그러므로 이 영화는 아동학대에 관한 영화보다 더 넓고 큰 영화. 어찌할 수 없는 자기연민과 비루한 슬픔에 맞서 싸우는 아픈 사람들의 연대기. 그렇게 나이를 먹고 그렇게 늙어간다. 그렇게 나이를 먹고 그렇게 어른이 된다. 어른이 된다는 것, 길들여진다는 것. 모두 가엾고 불쌍한 것(들). 온 누리 저주받은 몸을 받고 태어난 눈물겨운 목숨붙이들.

최창근 _ anima69@empas.com

극작가 겸 연출가. 영화 애호가. 2001년 우리극연구소 새 작가, 새 무대에 희곡을 올리면서 데뷔. 2012년 계간 《시평》에 시를 발표하면서 시작(詩作)을 겸하고 있음. 지은 책으로 희곡집 『봄날은 간다』, 산문집 『인생이여, 고마워요』 『종이로 만든 배』 등이 있음.

살아남은 아이

감독 신동석
출연 최무성, 김여진, 성유빈
각본 신동석
제작 제정주
기획 신동석
촬영 남용식
제작 아토

인간과 세계를 대하는 사려깊은 시선과 진정어린 태도.
다르덴 형제의 〈아들〉이 떠오르는 순간들.
올해 독립영화 중 날카로운 문제의식을
서사에 가장 잘 녹여 냈다.
피해자의 피해자임을 증명하는 과정들은 고통스럽지만
그래서 윤리적이다.
세심한 연출력이 빚어낸 슬픔의 형상화가 깊고 훌륭하다.
"차분한 사회극.
선악과 처벌, 딜레마에 대한 주제를 잘 드러냄.

— 추천위원의 선정이유 中

세상과의 진실 싸움,
무엇이 중요한가

— 신동석 감독 **〈살아남은 아이〉**

정재형(영화평론가, 동국대교수)

1. 영화는 진실을 탐구한다

세상사는 두 가지 측면을 갖고 있다. 표피와 진실. 우리가 인식하는 삶의 모습들은 대체로 표피일 수 있다. 그리고 그 안에는 숨겨진 진실이 있다. 삶은 표피로서 존재하며 진실은 드러나지 않는 법이다. 일상의 많은 사건, 사고들이 그렇다. 법과 제도로서 규정된 것들은 그저 표피일 뿐이고 진실은 말해지지 않는다. 결국 진실이란 알 수 없는 것이고 따라서 존재하지 않는다고 해도 과언은 아니다.

최근 한국사회를 지배하는 화두 중 하나는 세월호였고 세월호의 진실은 지금까지 아무도 모른다. 세월호의 표피적인 사실은 피해자의 상실감이라는 것이었다. 피해자의 상실감, 억울함이 한국사회를 지배하면서 영화에도 그와 같은 주제가 묘사되어 왔다. 〈살아남은 아이〉는 그러한 주제를 갖는 우화적인 영화임에 분명하다. 이 영화는 죽은 아이와 살아남은 아이, 그리고 피

해자 부모가 존재한다. 영화는 피해자 부모가 겪는 상실감과 억울함을 그리고 있다. 영화의 기능이란 바로 그와 같은 보편적인 소재나 주제를 통해 숨겨진 진실을 추적하는 것이다. 숨겨진 진실이란 플라톤의 이데아다. 피해자들이 갖는 상실감의 상대편엔 진실을 숨기며 생존하는 나약한 인간들의 허위의식이 있다. 그건 삶을 가장한 껍데기, 즉 표피일 뿐이다. 그 허위적 삶은 본질을 모방하되 그저 그림자로만 존재하는 허깨비 같은 삶이다. 영화는 그 꼭두의 삶을 깨버리고 진실을 향한 깊은 사유를 지향하는 매체인 것이다.

2. 진실 탐구, 그날 무슨 일이 일어났는가

영화는 성철, 미숙, 죽은 아들 은찬이 구했다고 알려진 살아남은 아이 기현의 이야기로 시작한다. 맨처음 그들의 갈등은 성철이 기현을 데려다 일을

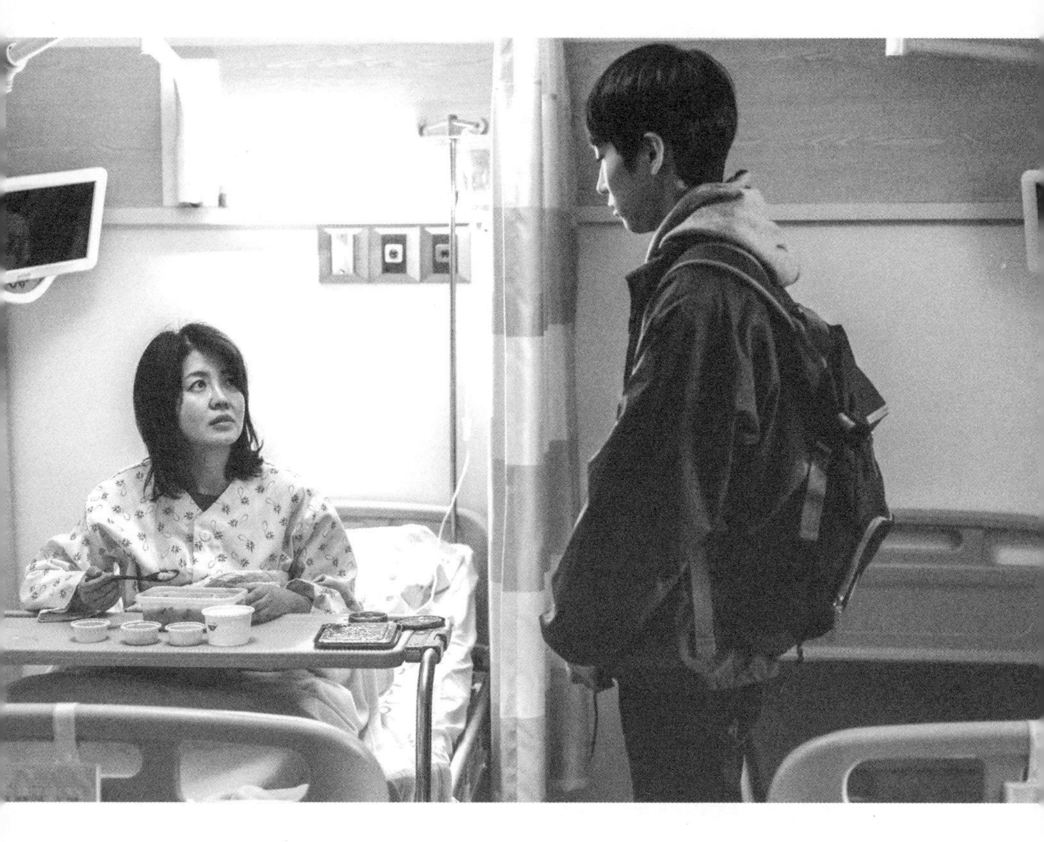

시키는 상황에서 발생한다. 첫 번째 갈등은 그것을 반대하는 미숙과 성철과의 갈등이다. 미숙이 성철의 행위를 반대한 이유는 은찬을 죽게 한 원인 제공자 기현에게 어떻게 동정을 베풀 수 있는가라는 의식이었다. 반대로 성철은 죽은 은찬의 유지를 조금이라도 이어받는 길은 그가 남긴 아이에게 동정을 베푸는 거였다. 이어 미숙은 기현을 받아들이면서 성철과 같은 생각으로 변한다. 미숙은 처음에 자식에 관한 이기적 사랑에 집착했지만 기현을 받아들이면서 박애주의로 변한 것이다. 기현은 은찬의 분신 혹은 연속성으로서 피해자의 상실감을 보상하던 의미체로 기능했다.

영화는 그 단계에 머물지 않고 두 번째 갈등의 상황으로 전개된다. 기현이 그날의 진실을 밝힌 이후 은찬을 죽인 다수의 '그들'과 그들을 감싸는 세상과 성철, 미숙의 갈등이 시작된다. 성철과 미숙은 진실을 규명하고 싶어했다. 하지만 세상은 진실을 알고 싶어하지 않는다. 피해자와 세상(시스템)과의 싸움이 본격화된다. 피해자는 진실을 캐내지 못한다. 영화는 세상일이 항상 그런 식으로 돌아간다는 것을 은유화한다. 그날 대체 무슨 일이 일어났단 말인가. 세상에서 벌어지는 모든 일의 질문은 이처럼 단순하다. 세월호도 결국 그것을 밝히지 못하는 것이다. 영화도 그 질문을 똑같이 반복한다. 과연 기현의 말대로 다수 아이들이 준영을 괴롭히다가 그를 말리는 은찬에게로 화살이 돌아가 모두 은찬을 가해하다 그가 죽은 것인지 알 수가 없다. 기현을 살리다가 은찬이 죽었다는 말조차 기현이 주도해서 한 것인지, 다수 애들이 기현에게 시킨 건지, 그들과 기현이 같이 공모한 건지 그것 또한 알 수가 없다. 이 대목에서 구로자와 아키라의 〈라쇼몽〉이 떠오른다. 〈라쇼몽〉은 그렇게 말한다. 어차피 객관적인 진실은 없다. 진실이란 그렇게 믿는 인간의 마음속에 있는 것이다. 따라서 진실이 중요한 게 아니라 인간이 어떤 행동을 통해 인간을 구원하는가에 달려 있다는 것이다. 〈살아남은 아이〉의 방향도 대체로 〈라쇼몽〉과 비슷한 결말을 향해 간다.

극도의 불신상태에 다다른 성철은 기현의 목을 조르며 죽이고 싶어한다. 가까스로 살아난 기현은 자살을 통해 본인의 결백을 증명하고자 한다. 그러한 행위로 진실이 드러난 것일까? 기현이 결백을 증명하려는 것이 아니라 그 모든 게 거짓말이고 죄책감을 이기지 못해 자살할 수도 있다. 혹은 자신이 의지할 곳이 성철과 미숙뿐이었는데 그들에게조차 버림받는다고 생각하니 죽음을 선택할 수밖에 없었을 것이다. 알 수 없다. 모든 가능성은 열려 있는 채 영화는 마무리하고 있기 때문이다. 끝까지 영화는 진실이 무엇인지 증명해내지 못한다.

영화는 오히려 기현을 살리러 물에 뛰어들어간 미숙과 성철의 행동에 포커스를 맞춘다. 진실은 더 이상 중요하지 않다. 둘은 기현을 죽은 아들 대신으로 생각하고 그를 여전히 동정하면 된다. 그래야 둘의 마음이 풀리고 살아갈 힘을 얻는 것이다. 본질이 아니라 실존의 차원에서 행동하는 것이다.

3. 실존적이며 부도덕한 인간의 탄생

기현에 의하면 진실은 이렇다. 준영이를 괴롭히다가 그걸 말리는 은찬을 죽인 것이다. 결국 은찬은 준영을 살린 격이다. 살아남은 아이는 기현이 아니라 준영이 된다. 준영은 살았으나 다른 애들 때문에 진실을 말하지 못하는

비겁한 아이다. 기현에 의하면 살아남은 아이는 비겁한 아이고 의사자로 지정된 은찬은 허위다. 여기까지가 기현의 논리지만 결과적으로 은찬은 기현 아닌 준영을 구했어도 누군가를 구했다는 점에서 의사자가 맞긴 맞다. 의사자 은찬. 그 사실은 허위 속에서 우리들의 삶이 영위된다는 은유다.

〈살아남은 아이〉의 표피적인 주인공은 기현을 통해 드러난 진실을 입증하려는 성철이다. 하지만 영화의 방점은 성철이 아니라 기현에 가 있다. 왜냐하면 기현이 바로 문제적 인간이기 때문이다. 기현과 같은 인간은 잔잔한 일상에 균열을 내어 그를 지켜보는 사람들로 하여금 깊은 성찰을 유도해 내는 기능을 한다. 대부분 인간은 위선 속에서 살지만 문득 한 인물이 양심고

백하면서 일상에 균열이 생기고, 인간의 나약함과 비극의 본질이 노출된다. 〈살아남은 아이〉의 핵심적인 갈등은 무엇일까. 어쩌면 성철, 미숙도 아니고, 기현과 다수의 '그들'일 수 있다. 기현을 문제적 개인으로 보면 그를 문제시하는 다수의 세상과의 갈등이다. 그런 점에서 이 영화는 개인과 체제와의 갈등을 그린 영화다. 기현은 자신도 조직의 일원이면서도 그 조직의 은폐된 부조리를 고발하는 자이다. 그럼으로써 그는 조직으로부터 내몰리고 심하면 제거되기도 한다. 이 영화는 내부고발자로서의 기현의 문제를 진지하게 다룬다.

영화의 출발에서 다르덴 형제의 〈아들〉을 살짝 모티프로 설정하긴 했다.

하지만 그것은 전체를 설정하진 않는다. 아들을 죽게 한 원수를 사랑하게 되는 이야기의 원형으로부터 〈살아남은 아이〉가 단지 시작하고 있을 뿐이다. 오히려 영화가 내면적으로 더 닮은 것은 감독이 전혀 보지 않았다고 추정되는 낯설은 걸작 김은국의 소설 〈순교자〉다. 기현의 거짓말로 형성된 은찬의 의사자 설정 아이러니 상황은 〈순교자〉에서 배교하고 죽은 목사들을 순교자로 탈바꿈시킨 살아남은 목사의 미스테리한 행위와 흡사하다. 그러한 인간의 갈등양상은 욥, 도스토옙스키, 카뮈, 브레송, 다르덴으로 이어지고 김은국으로 이어지는 도도한 실존주의적 개념이다. 인간의 나약함과 부도덕한 실존은 단적으로 카뮈의 〈이방인〉에서 그려진 뫼르소의 부도덕함으로 대변되고 영화적으로 브레송의 〈소매치기〉나 다르덴의 〈아들〉로 이어진다. 〈살아남은 아이〉에서 기현의 위선이 바로 그것이다. 인간은 다수의 허위의식에 맞선 개인의 부도덕으로 생존하는 것이다. 기현을 보듬을 수밖에 없는 성철과 미숙의 입장도 결국은 그것으로 회귀한다. 진실규명 따위는 이제 중요하지 않다. 싸르트르에 의하면 실존은 본질을 선행하는 것이다. 기현이 거짓말을 했든 다수가 거짓말을 했든 실존 이상으로 그것이 중요하지 않다. 피해자가 살아가기 위해선 다수에게 버림받은 기현을 껴안고 굳건하게 살아가는 수밖에 없다. 허위에는 허위로 맞서는 수밖에 없는 것이다. 이러한 생존의식이 현대인을 대변하는 실존주의적 삶의 방식이 아니고 무엇인가. 여전히 실존주의 의식은 우리에게 중요하다는 사실을 깨닫는다.

정 재 형 _ jhjung@dongguk.edu
한국영화학회회장, 영화평론가협회회장 역임, 현재 동국대 교수.
저서로 『영화이해의 길잡이』, 『영화영상스토리텔링100』 등이 있음.

전고운 감독

소공녀

감독 전고운
출연 이솜, 안재홍
각본 전고운
제작 김순모
기획 전고운
촬영 김용현
제작 광화문시네마, 모토MOTTO

'집이 없지, 생각과 취향은 있어.' 팍팍한 현실 앞에서
돈키호테처럼 호기롭게 관조하며 내 멋대로 살 수 있는
소공녀의 용기가 부럽다.
N포 세대 식 고백체. 20대를 지난다는 것의 의미와 성찰.
당당하려 애쓰는 가난한 청춘의 패기가 처절해서 처연하다.
이런 삶도 가능하며, 가능해야 하지 않을까.
청년 세대의 현재를 풍자적, 해학적으로 담은 표현력.
영화 속 미소는 극빈의 상태에서도 취향적 자아를 지키려는
오롯한 자존감을 보여준다. 유니크한 미학적 윤리적 주체인
주인공을 통해 한국사회에서 일찍이 본 적이 없는 레디컬한
상상을 펼쳐놓는다.

— 추천위원의 선정이유 中

쓸쓸하지만 호방한, 여성주의적 상상 〈소공녀〉

— 전고운 감독 **〈소공녀〉**

황진미(영화평론가)

여행 가방에 세간을 넣고 옛 친구 집을 전전하는 미소(이솜)는 "난 갈 데가 없는 게 아니라, 여행 중이야." 라고 말한다. 그는 '여행자'일까 '행려자'일까. 2004년의 영화 〈마이 제너레이션〉의 청춘들은 청년실업으로 빈사상태에 내몰린 우울증자의 얼굴을 보여주었다. 반면 미소는 극빈의 상태에서도 취향적 자아를 지키려는 오롯한 자존감을 보여준다. 이제 이것저것 하나씩 포기하는 'N포 세대'의 단계를 지나, 다 버리고 최소한의 것만 챙겨서 떠돌아다니는 '가난뱅이 오타쿠'의 세대가 열렸다.

1. 집을 포기한 미소, 순례에 나서다

미소는 가사도우미로 일한다. 일당 4만5천원. 대학원에 다니거나 유흥업소에 다니는 또래 여성들의 집을 청소하고 요리도 해준다. 대학 때 밴드활동도 했지만, 등록금이 없어 자퇴했다. 그 후 작은 회사를 다니다가, 지금은

'가사도우미'를 직업으로 생각한다. 미소는 난방도 되지 않는 옥탑방에 산다. 방이 추워 애인 한솔(안재홍)과 섹스도 못할 지경이다. 한솔은 담배, 위스키와 더불어 미소의 '최애물'이다.

그런 미소에게 위기가 닥쳤다. 담배 값이 2천원이나 오르고, 집세도 5만원이나 올려달란다. 백발이 되는 것을 막기 위한 약도 사먹어야 하는데, 무엇을 포기해야 할까. 다른 사람이라면 담배나 위스키를 포기했겠지만, 미소는 집을 포기한다. 물건들을 정리하던 미소는 대학시절 밴드활동을 같이 했던 친구들을 떠올리며, 그들을 찾아가 잠자리를 의탁하기로 마음먹는다.

영화는 미소가 친구들을 순례하는 흐름을 따라간다. 대기업에 다니면서 더 좋은 곳으로 이직하기 위해 자기 팔에 링거를 놓아가며 일하는 친구는 예민한 성격 탓에 하룻밤도 재워줄 수 없단다. 또 다른 친구는 미소를 반겼지만, 결혼 후 좁아터진 집에서 시부모와 함께 살며 독박가사에 시달리는 중이다. 얼마 전 결혼한 남자후배는 이혼 후 극심한 우울증에 빠져 있다. 그는 아파트를 감옥이라 부른다. 월급의 절반 이상을 대출금 갚는 데 써야 하지만 이사도 갈 수 없기 때문이다. 중년이 다 되었지만, 아직 부모와 함께 사는 남자선배도 있다. 선배의 부모는 아들을 결혼시키고픈 마음에 미소를 보자 반색을 한다. 선배도 묻는다. 결혼하면 집도 가족도 한꺼번에 생기니, 좋지 않겠냐고. 하지만 미소는 분명히 선을 긋는다. 나에게는 남자친구가 있으며, 집은 없어도 생각과 취향은 있다고.

2, 가난한 여자의 사치– 담배, 위스키, 취향에 맞는 남자

여성은 임금, 고용, 상속 등에서 분명한 차별을 당하고 있다. 하지만 남성의 경제력에 의존하는 존재로 여겨지는 탓에, 여성의 빈곤은 가시화되지 않는다. 즉 '여자는 경제력 있는 남자와 결혼하면 된다' 는 안일한 인식이 팽배

한 탓에, 여성의 경제적 자립을 어렵게 만드는 구조가 개선되지 않는다. 그 결과 여성은 취향이 아닌 생계를 위한 결혼에 내몰린다.

실제로 미소처럼 주거와 생계가 불안정한 비혼 여성들은 대개 취향보다 안정을 택한다. 하지만 미소는 선배와의 결혼이 아닌, 한솔과의 연애를 고집한다. 사실 취향에 맞는 남자와의 사랑은 굉장한 사치이다. 담배, 위스키와 마찬가지로, 실용성도 없고 건강에도 좋지 않은 기호품이다. 성차별이 구조화된 사회에서, 이런 사치는 경제적으로 독립한 소수의 여성들이나 누릴 수 있는 특권처럼 보인다. 하지만 미소는 그 사치를 포기하지 않는다.

미소는 영화표를 얻기 위해 한솔과 나란히 헌혈하는 상황을 즐겁게 받아들인다. 남자를 경제력의 담지자가 아닌 취향의 공동체로 보기 때문이다. "가난해서 미안하다"고 말하는 한솔에게 미소는 "아니야. 거지는 나지"라 말한다. 자신을 남자의 경제력과 무관한 독립된 경제 주체로 인식하는 것이다.

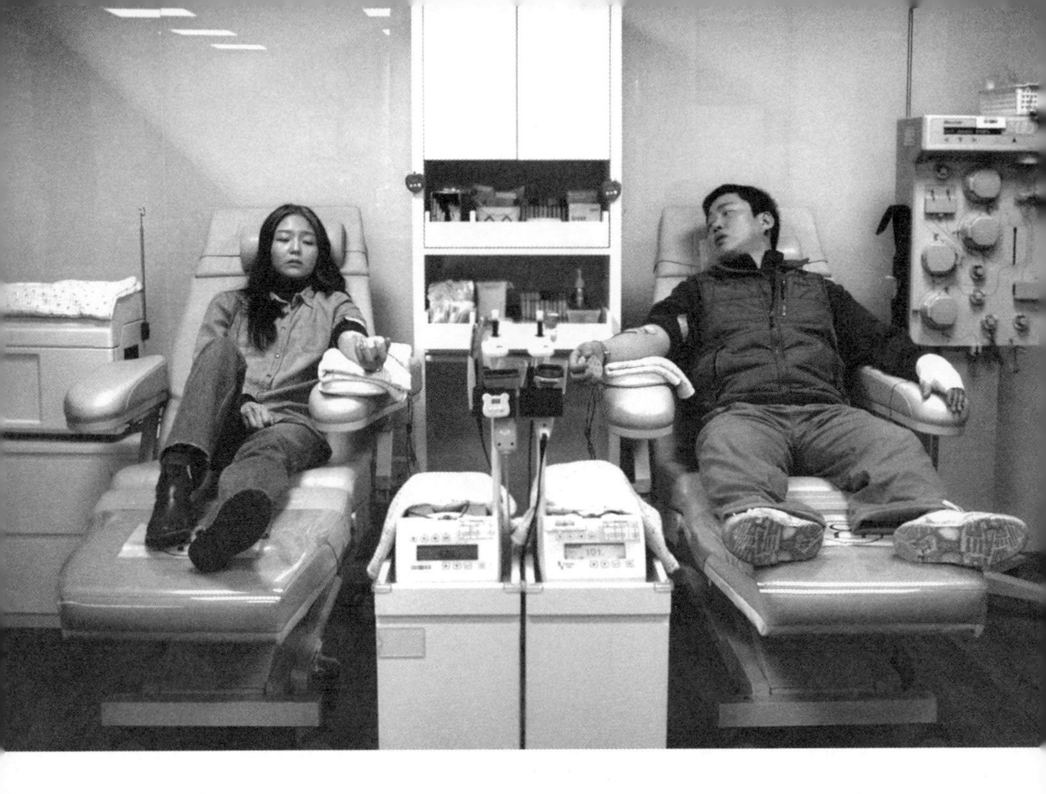

그는 자신만의 가치관을 가지고 있다. 빚 없이 살기 원하고, 미래를 위해 현재의 행복을 포기하고 싶지 않다. 그는 한솔과 이런 신념을 공유한다고 생각해왔기 때문에, 한솔이 "남들처럼 살고 싶어서" 사우디아라비아에 가겠다고 하자, "배신자"라 말한다.

미소를 고용한 여성은 미소에게 "유니끄하다"고 말한다. 유흥업소에 다니는 그녀는 미소와 매우 다른 남성관을 가지고 있지만, 미소는 그녀를 판단하지 않는다. 임신한 그녀에게 맛있는 것을 해주고, 덕담을 해줄 뿐이다. 그러고 보면 미소는 자신을 호의로 맞아준 집에는 유익한 일을 해주었다. 살림에 소질 없는 친구를 위해 밑반찬을 해주었고, 실의에 빠진 남자후배를 위해 청소도 해주고 밥도 해주며 사람의 온기를 나누어주었다. 미소가 옛 친구들에게 재워달라고 말할 수 있었던 것은 자신이 기꺼이 우정을 베푸는 사람이었기 때문이다. 대학시절 그의 자취방은 언제든지 친구들을 위해 열려 있었고, 돈이 급한 친구에게는 선뜻 돈을 빌려주었다. 하지만 이런 미소에게 어떤 이는 "바람 든 것 같다"고 말하고, 어떤 이는 "철부지 같다"고 말하고, 또 어떤 이는 "염치가 없다"고 말한다.

영화에서 가장 감정이 격돌하는 장면은 여자선배와의 대화 장면이다. 부자와 결혼한 선배는 "내 취향은 아닌" 넓은 집에서 육아에 전념하며 산다. 그런 선배에게 미소는 "다른 사람 같다"고 말한다. 처음에 선배는 관대했으나, 결국 "염치없다"는 말로 미소의 삶을 재단한다. 이처럼 분위기가 나빠진 데는 남편에게 자신의 대학시절을 들킬까봐 불안해하는 선배의 심리가 작용하였다. 즉 자기 모습대로 살지 못하는 공허한 삶인 것이다. 독박가사에 시달리던 친구와 선배언니의 경제 상태는 매우 다르지만, 자신이 어떤 사람이었는지 잊은 채 산다는 점에서는 같다.

3. 가난뱅이 오타쿠의 세대

영화는 미소가 갖지 못한 안정된 직장, 집, 결혼이 어떤 의미인지를 친구들의 사례를 통해 블랙코미디 적으로 예시한다. 좋은 직장에 다니는 친구는 자신이 과거 흡연자라는 사실을 숨긴 채 링거를 꽂아가며 일하고, 결혼은 가난하거나 부유하거나 나 자신으로 살 수 없도록 하는 기획이고, 집은 자칫 감옥이 되기 십상인 것이다. 영화는 순례를 마친 미소가 무언가 깨닫거나 변하는 모습을 보여주지 않는다. 그저 자신이 알던 것을 확인하게 된 미소는 더욱 자기 신념을 밀고 나간다. '에쎄' 대신 500원이 싼 '디스'로 바꾸었다가 다시 '에쎄'를 피우고, 위스키 값이 2000원이나 올랐지만 꿋꿋하게 위스키를 마신다. 대신 약을 끊고 백발이 된다. 오히려 조금이나마 흔들리고 달라지는 것은 친구들이다. 결혼 후 자아를 잊었던 친구와 선배는 과거 자신을 잠시 돌아보고 회한에 젖는다.

영화의 결말은 긴 여운을 남긴다. 백발이 된 미소는 남과 다르게 보임을 조금도 두려워하지 않게 되었음을 암시한다. 즉 세상의 잣대로부터 더 초연해진 것이자, 기존 질서에 편입될 마음을 아예 접은 것이다. 그리고는 휴대폰이 끊긴다. 이를 세상으로부터의 고립으로 볼 수도 있을 것이다. 그러나 어쨌든 미소가 자신의 가치관을 끝까지 밀고나가 유니끄한 자기 세계를 지닌 여성주체가 되었음은 분명하다.

이것은 얼마나 파격적인가. 2003년의 〈싱글즈〉에서 나난(장진영)은 제법 멀쩡해 보이는 남자(김주혁)의 청혼을 "내 인생이 똥인지 된장인지 좀 더 알아봐야겠다"며 거절하고, 미혼모가 되려는 친구(엄정화)와의 결합을 택했다. 자아의 성장과 여성 간의 연대를 위해 결혼을 유보하는 것이 당시로서는 쿨해 보였지만, 지금의 눈으로 보니 주류적 욕망에서 크게 벗어나지 않은 한갓진 양자택일로 느껴진다.

불과 15년 만에 미소의 상황을 보라. 그는 변변한 직장, 집도 없지만, 결혼이 제법 멀쩡한 남자와의 낭만적 결합이 아니라는 것쯤은 안다. 친구들의 사례를 통해 보듯이, 그것은 종속이거나 감금이거나 최소한 자기부정이다. 또한 내 인생이 똥인지 된장인지는 이미 알고 있다. 그래서 미래를 저당 잡히는 빚도 지지 않고, 미래를 위해 현재를 포기하는 저축도 하지 않는다. 다만 현재를 살아간다. 거창하지 않지만 내가 좋아하는 것을 하면서. 미소가 한솔에게 계속 그림을 그리라고 하는 것은 꿈을 포기하지 말라는 것이 아니라, 네가 좋아하는 것을 포기하지 말라는 뜻이다. 미소는 내가 할 수 있는 최소한의 노동을 하고, 내가 사랑하는 최소한의 것만 가진 채 살아간다.

미소는 가사도우미이지 '하녀'가 아니다. 영화 〈하녀〉에서 '늙은 하녀'와 '젊은 하녀'는 미소보다 훨씬 부유했지만, '하녀'의 길을 택했다. 비단 고용된 '하녀'가 아니더라도 결혼을 통해 부불노동의 '하녀'가 되는 이들은 또 얼마나 많은가. 미소가 자유민일 수 있는 이유는 자본주의와 가부장제의 환상을 욕

망하지 않기 때문이다. 〈성실한 나라의 앨리스〉에서 그녀는 남편과의 행복한 삶을 위해 집을 샀다가 하우스푸어가 되고 결국 살인마가 되었지만, 미소는 집을 버림으로써 아무도 해치지 않고 때때로 돌봄을 나누어주는 그윽한 홈리스가 된다. 〈가난뱅이의 역습〉, 〈가난뱅이 난장쇼〉 등을 쓴 일본의 활동가 마츠모토 하지매, 〈성난 서울— 미래를 잃은 젊은 세대에게 건네는 스무살의 사회학〉을 쓴 아마미야 카린 등과 정신의 끈이 닿은 듯한 미소를 무엇으로 불러야 할까. 가난뱅이 오타쿠, 백발마녀, 보헤미안, 취향의 달인… 무엇으로 부르든, 그가 유니끄한 미학적·윤리적 주체임은 부인할 수 없다. 한국 사회에서 일찍이 본 적 없는, 쓸쓸하지만 호방한 여성주의적 상상이다.

황 진 미 _ chingmee@hanmail.net

이화여대 의대 졸업. 연세대 보건학 박사 수료. 진단검사의학 전문의.
2002년부터 《씨네21》을 비롯한 각종 매체에서 영화평론가로 활동.

암수살인

감독 김태균

출연 김윤석, 주지훈

각본 김태균

제작 이성찬

기획 박순홍

촬영 최제성

제작 필름 295, 블러썸픽처스

감독의 끈기와 집념이 느껴지는 영화.
이처럼 윤리, 도덕성을 지닌 형사를 마주한다는 것만으로도.
피해자도 시신도 부재된 상태에서 범인 증거 찾기에 나서는
한 형사의 눈물겨운 분투기.
잘 짜여진 구성과 배우의 연기력 특히 주지훈.
새로운 경찰캐릭터의 등장, 윤리성까지 갖춘.
캐릭터의 탄생.
치밀한 각본.
진실에 대한 사회적 메시지가 지나치다 싶을만큼 강함에도
영화는 전혀 흐트러지지 않았다.

— 추천위원의 선정이유 中

피해자의 심경에서 상상한다는 것

— **김태균** 감독 **〈암수살인〉**

김시균(매일경제 문화부기자)

역수사의 플롯, 전복의 구도

영화 〈암수살인〉(감독 김태균)은 살인마 강태오(주지훈)가 부산 자갈치시장 칼국수집에서 체포되는 장면으로 닻을 올린다. 이 같은 출발은 그동안 한국 범죄물에서는 발견할 수 없던 접근 방식이었다. '추적하는 형사와 달아나는 범인'이라는 클리셰화된 도식을 초입부터 허문 것이었기 때문이다. 범인은 이미 수인囚人이 된 부동의 신세다. 형사만이 움직임이 자유로운 동적 존재로, 이는 기존의 형사– 범인 구도의 전복이다.

여기엔 하나의 게임이 개입돼 있다. 범인이 진실과 허구를 뒤섞은 B·C·D의 추가살인 자백을 건네면 형사는 이를 받아 피해자들을 찾아내야 한다. 그래야 진실이 증명된다. 범인은 자신의 세치 혀에 의존하는 형사가 증거 찾기에 실패할 것임을 확신하고 있다. 자신이 던진 자백이 연이어 입증에 실패한다면 결국엔 A살인마저 무혐의 처리될 수 있을 것이다. 그리고 출소될 것이다(전직 형사 송경수는 이게 가능한 일임을 후배 형사 김형민에게 알린다).

이것은 범인이 쓴 각본이다. 물론 형사도 이 각본의 위험성을 안다. 시작부터 그는 대단히 불리한 처지다. 세상에 공짜 점심은 없으므로, 자백을 받아내려면 범인이 원하는 금액의 영치금과 물품을 매 접견마다 건네줘야 한다. 이는 혐의 입증에 불리한 단서가 될 수도 있다. 범인은 이를 알기에 돈 많은 형사를 조롱한다. "행님, 아이큐 백 안 되지요?"

범인의 자백에 의거해 피해자를 찾아야지만 진실이 증명된다는 것. 이러한 역逆수사 플롯은 그 자체로 극에 긴장과 서스펜스를 불어넣는 데 성공한다. 익숙하지 않은 접근인 데다 이야기 흐름을 쉽게 단정하기도 어렵다는 점에서 신선한 것도 사실이다. 하지만 〈암수살인〉이 진정으로 값진 건 그 너머에 있다고 나는 본다. 역수사 플롯의 짜임새는 충분히 흥미로우나, 서사의 종착지가 결국 김형민(김윤석)의 승리일 것임을 우리는 쉽게 예상할 수 있다.

그럼 무엇이 값지다는 것인가. 바로 배제의 미학이 거둔 윤리성이다. 〈암수살인〉은 범죄물이지만 폭력성을 최대한 배제하고 있다. 그러면서 피해자 개개인의 감추어진 사연을 찾아서 듣는 데 골몰한다. 강태오의 게임을 수락한 듯 보이나 김형민의 진짜 관심은 그게 다가 아니다. 사라진 피해자 개개인을 찾아내 진실로 애도한다는 것. 뒤에서 얘기하겠지만 그는 피해자의 심경에서 상상하는 인물이다. 그는 타인의 고통을 상상할 줄 안다.

배제의 미학으로 구축한 윤리성

극의 출발부터 살인마 강태오는 부동의 존재다. 그는 거리를 활보할 수 없다. 이미 옥중에 갇혀 있고 육체적 자유는 박탈당했다. 20대 여성 허수진의 살인 피의자로 체포됐기에 극 내내 그의 활동 범위는 세 곳으로 제약된다.

교도소 접견실과 독방 그리고 법정.

두 편의 영화가 떠오른다. 〈추격자〉(감독 나홍진)와 〈조디악〉(감독 데이빗 핀처)이다. 전자가 지영민(하정우)의 체포 뒤에도 그가 다시 거리를 활보하리라는 불안과 함께 극에 강한 긴장을 부여한다면, 후자는 언제 어디서 조디악의 살인이 재발할지 모른다는 무작위성이 짙은 공포감을 조성한다. 그러나 강태오에겐 그럴 여지가 애초에 차단돼 있다.

이 영화는 많은 걸 배제한다. 현 시점에서 강태오의 추가 범행 가능성은 없다. 말을 제외한 몸의 활동이 불가능하기 때문이다. 게다가 그 말의 활동조차 김형민이 있을 때만 가능한 것이다. 그러므로 '추격자'의 전후반부나

'조디악'의 전반부에서 보게 되는 끔찍한 이미지들은 〈암수살인〉에서는 기대할 수 없다. 죽는 순간 피해자들의 외마디 비명도, 참혹한 시체도, 피칠갑된 공간도, 범행 도구가 자아내는 서늘함도 이 영화에는 없다. 쫓는 형사와 쫓기는 범인 간의 추격전 또한 없기에 긴박한 스릴 역시 느끼기는 어렵다. 한마디로 〈암수살인〉은 잔혹성을 전시하지 않는 영화다.

대신에 주목하는 건 접견실이라는 공간이다. 성격도 목적도 판이한 두 남자가 상호 반복해서 대면한다. 한 쪽이 게임을 제안했고 다른 한 쪽은 수락했다. 아니, 수락한 듯 행동했다. 김형민의 시선과 조형사의 캠코더는 살인마 강태오의 자백을 유심히 듣는다. 그러면서 지켜본다. 어디로 튈지 모르는 이 검은 악마는 김형민을 조롱하고, 도발하고, 웃고, 소리친다. 때로는 이성적인 듯싶다가도 때로는 비非이성의 광기에 도취된다. 그는 종잡을 수 없다 (극 중반부, 독방에 엎드린 그는 검은 펜으로 불교의 수호신을 닮은 그림을 휘갈겨 완성한다. 그러곤 벽면에 있는 달마대사 그림 옆에 나란히 붙인다. 이 불쾌한 악마적 형상은 강태오 자신의 자화상처럼 느껴진다).

김형민은 그런 그를 어떻게 마주하는가. 우선은 감정을 드러내지 않는다. 절대 동요하지도 않는다. 애써 받아주는 척하되 이따금 도발하며 맞선다. 이 보이지 않는 팽팽한 심리전은 접견실이라는 대결장場에 전에 없던 긴장감을 주조해낸다.

폭력적 이미지의 배제는 텍스트 내외적 제약 때문에 가능했을 것이다. 내적으로는 역수사 플롯이라는 점에서, 외적으로는 실화에 기반했다는 점에서 그렇다. 현재의 범죄를 예상할 수 없고, 과거의 범죄는 김형민의 머릿속 재연이나 피해자들의 플래시백을 통해서만 가능하다. 과거의 재연과 플래시백에서 있는 그대로의 참혹한 살해 현장이 복원되기란 힘들다. 그러고 싶지 않을 것이고, 그래서도 안 되어서다. 후자의 경우엔 피해자 유가족들이 현실에 엄연히 존재하는 실정이므로, 폭력의 재연은 그 자체로 문제될 소지가 있다.

어쨌거나 이 모든 배제는 〈암수살인〉의 미덕으로 승화한다. 빼고 없앰으로써 〈암수살인〉만의 윤리적 지평이 형성되기 때문이다. 강태오는 갇혀 있고, 김형민은 움직인다. 고로 우리는 자연히 후자의 활동에 집중한다. 후자의 활동에 집중하면서 마주하는 건 그가 일군 윤리의 신新지평이다.

피해자의 심경에서 상상한다는 것

극 중후반 법정에서 그는 말한다. “죽은 피해자의 입장에서 한 번 상상해 보시길 바랍니다”라고. 한 남자 살인 사건을 파헤치며 어렵사리 강태오를 법정에 세웠으나 증거 불충분으로 패소되려던 순간이다.

“죽은 피해자는 단 한 차례 칼을 맞아 죽은 것이 아닙니다. 여러 차례 여러 군데 칼에 찔려 사망을 했습니다. 처음 목에 맞아서 큰 혈관이 터지는 바람에 자기 목에서 피가 솟구쳐 나오는 것을 자기 눈으로 직접 봤었을 겁니다.

자기를 찌르는 범인 얼굴이 보이고 또다시 칼이 자기 살을 찢고 들어오는 소리를 들으면서 마지막을 맞이하는 순간까지 얼마나 끔찍하고 공포스러웠겠습니까."

그는 피해자 입장에서 상상한다. 죽은 이의 주변인을 찾아 누비며 이야기 조각들부터 모은다. 그런 다음 그 모은 조각들을 꿰맞춰 상상해본다. 그들이 "마지막을 맞이하는 순간까지 얼마나 끔찍하고 공포스러웠을지"를. 그들이 느꼈을 고통을 그는 최대한 나의 고통인 것처럼 느낀다. 아니, 느껴보려 노력한다.

앞선 법정신에서만 그런 것이 아니다. 극 초중반 그는 실종된 오지희의 할머니를 찾아간다. 피해자 가족 곁에서 그는 그저 말없이 듣고 있다. 우리 지

희가 수영을 잘 했다, 옷가게를 한다고 들었는데 경찰들이 술집에서 일했다고 그러더라. 돌아 나온 그는 상상한다. 이어지는 건 그의 상상 신(과거 재연)이다. 살해 현장이 재연되지 않았음에도 불구하고 이 신은 상당히 섬뜩하다. 김형민이 죽은 피해자의 심경에 최대한 다가가 상상했기 때문이다.

살해당한 남자의 여동생을 찾아갔을 때 그는 이런 이야기를 듣는다. "오빠 그리 되고 나서, 엄마도 한 몇 년 시름시름 앓다가 돌아가시고, 아버지는 작년에 풍까지 맞았습니더. 솔직히 우리 경찰 안 믿습니다." 그는 힘없이 답한다. "사실 저도 잘 안 믿습니더." 그는 타인의 고통을 상상하지 않는 경찰은 안 믿는다. 피해자들 이야기에 귀 기울이지 않는 존재를 그는 믿지 않는다. 그래서 홀로 나선다. 세상에 알려지지 않은 암수살인 범죄를 어떻게든 세상

바깥으로 드러내려 한다. 그것만이 억울한 피해자를 진혼鎭魂하는 길이라 그는 믿는다.

그간 우리는 이러한 캐릭터를 보아온 적이 있는가. 없을 것이다. 현실에서도 없고 영화에서도 없을 것이다. 다수가 타인의 고통을 외면하는 이 냉기 가득한 세계에 김형민이라는 캐릭터는 그래서 더 소중하다.

피해자들의 심경에서 생각한다는 것. 타인의 고통을 상상하고 이를 마치 나의 고통처럼 느껴본다는 것. 부담스럽고 고통스러워도 그래야만 한다는 것. 왜 그래야만 하는가. 그것이야말로 인간이 인간일 수 있는 '인간의 조건'이기 때문이다. 그 조건을 망각한 괴물과 기억한 인간의 싸움이 결국 인간의 승리로 귀결되는 건 당연한 결과일 터다.

그리하여 마지막 신에 이른다. 허허벌판에 김형민이 홀로 외롭게 서 있다. 때는 저물녘인 듯싶고, 갈대들이 바람에 나부끼고 있다. 그 가운데 우두커니 선 그가 허공을 향해 토해내듯 말한다. "어데있노, 니."

박미영 사건은 종결됐다. 살인마 강태오는 패소해 무기징역을 받았다. 하지만 김형민은 기쁘지가 않다. 그럴 수가 없어서다. 아직 과업이 끝나지 않아서다. 사라진 피해자들은 남아 있고, 그들 이야기는 드러나지 않았다. 그러니 계속 찾아야 한다. 당신의 심경에서 상상하고, 당신의 고통을 나의 고통처럼 느끼면서.

그의 진실한 애도는 쉬이 그치지 않을 것이다.

김 시 균 _ sigyun3814@gmail.com
매일경제 문화부에서 영화와 클래식 기사를 쓴다. 영화가 우리 삶을 구원하리라 굳게 믿고 있다.

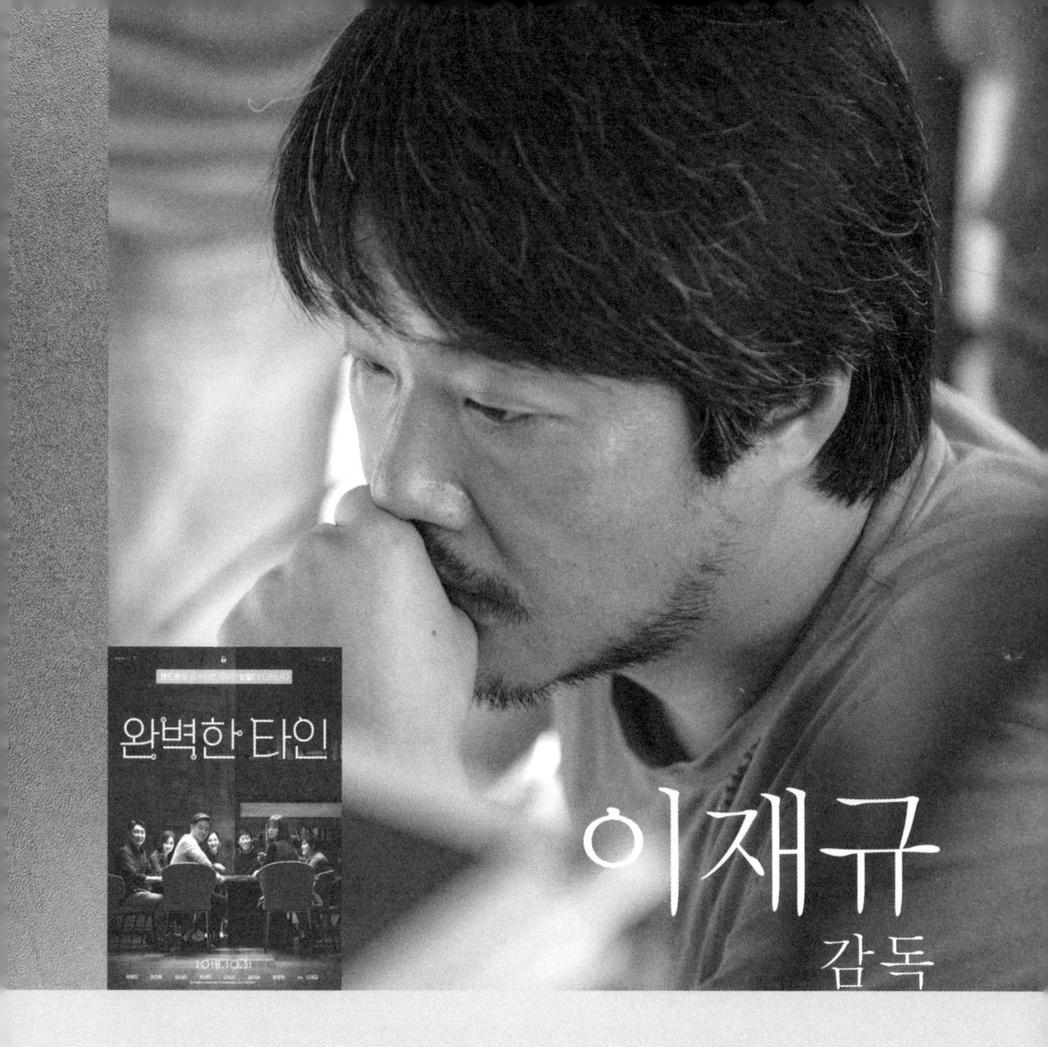

이재규 감독

완벽한 타인

감독 이재규
출연 유해진, 조진웅, 이서진, 염정아, 김지수, 송하윤, 윤경호
각본 배세영
제작 이용남
기획 이재규
촬영 김성안
제작 필름몬스터, 드라마하우스

현대인이라면 누구나 공감할 수 있는 영화.
캐릭터 플레이가 돋보였다.
가족 사이에도 경계선이 존재하는지에 대한
유쾌하면서도 서늘한 풍자.
우리시대 첨단 미디어인 핸드폰과
동시대적 인간관계에 대한 비판적 성찰.
기발한 저예산 아이디어.
외국 원작이 있는지 몰랐을 정도로 성공한 리메이크,
현실밀착 코미디.

— 추천위원의 선정이유 中

주체와 타인의 뫼비우스 띠

— 이재규 감독 〈완벽한 타인〉

임대근(문화콘텐츠비평가, 한국외대 교수)

1. "타인은 지옥"

장 폴 사르트르가 "타인은 지옥"이라고 선언했을 때, 그 안에는 이미 주체와 타인이 분리될 수 없는 존재라는 의미가 함축돼 있었다. 타인 없는 주체는 존재할 수 없으며, 주체 없는 타인 또한 존재할 수 없다. 주체에게는 타인의 승인이 필요하고, 타인은 주체의 인정을 갈망한다. 신이 아담과 하와를 잇달아 만들었을 때, 인간은 독립해서 살 수 없는 존재로 이미 규정됐다. 아담과 하와가 서로를 죄의 길로 유혹하지 않았더라면, 서로가 온전히 타인을 인정하고 승인했더라면, 인간은 영원히 아름다운 천국을 맛보았을 것이다. 그러나 타인은 주체를 온전히 승인하지 못하고, 주체 또한 타인을 완벽히 인정하지 못한다. 주체와 타인 사이에는 언제나 어긋남, 일치할 수 없는 오인과 왜곡의 지점이 존재한다. 주체는 타인의 오인과 왜곡으로부터 자신을 방어하기 위해, 역시 타인에 대한 전적인 승인을 거부한다. 뫼비우스 띠처럼

얽혀버린 주체와 타인은 끊임없이 서로를 추수하지만, 무슨 수를 써도 상대의 위치까지 도달할 수는 없는 배반적 관계에 놓여 있다.

2. 한국영화, 이야기, 결핍, 노출

이재규 감독의 〈완벽한 타인〉은 쟁쟁한 한국형 블록버스터들 사이에서 선전한 보기 드문 블랙코미디다. 우리는 한국영화의 역사를 이끌어온 수많은 영화 제목 위에 전에 없는 발상과 창의성으로 무장한 참신한 작품 하나를 더 얻게 되었다. 그렇게 말할 수 있는 까닭은, 2018년 한국영화를 이끈 대세는 묵직한 사회 역사물이었기 때문이다.

〈완벽한 타인〉은 최근 한국영화가 지향하는 역사적 문제나 사회적 의제에서 벗어나려는 시도를 감행했다. 물론 이런 시도가 이 영화만의 것은 아니다. 〈부산행〉, 〈신과 함께〉 시리즈 등은 리얼리즘 영화의 큰 흐름 속에서 새

로운 도전으로 호평받았다. 좀비를 등장시킨 〈부산행〉은 한국형 호러의 성공 가능성을 맛보았고, 웅장한 스케일과 컴퓨터그래픽으로 웹툰을 스크린에 옮긴 〈신과 함께〉 시리즈는 판타지도 킬러콘텐츠가 될 수 있음을 입증했다. 그러나 두 영화 역시 사회적 의제로부터 완벽히 독립된 건 아니었다.

〈부산행〉은 한국 사회의 성별, 계층, 가족, 또래 집단 안에서 벌어질 수 있는 다양한 부조리를 배경으로 삼았고, 〈신과 함께〉도 군 의문사, 경제난, 빈부격차 등의 문제를 끌어들였다.

〈완벽한 타인〉이 사회적 의제로부터 완벽히 독립해 있다는 말이 아니다. 영화는 사실 매우 사회적이다. 부부, 모녀, 친구 등으로 구성된 그들의 관계

안에서 벌어지는 다양한 갈등 양상은 지극히 사회성을 띨 수밖에 없다. 그러나 이런 의제는 미시적이라는 점에서 다른 영화들과 다르다. 누구에게나 존재하지만, 쉽게 공론화하지는 않는 '사회적' 문제인 것이다. 그러므로 영화는 매우 사회적이기는 하지만 동시에 사적인 이야기를 통해 통쾌하지만 발칙한 웃음을 선사했다. 이탈리아 영화를 리메이크했다는 사실은, 한국영화가 어딘가로 '진출'을 꿈꿀 것만이 아니라, 바깥 영화를 잘 '진입'시킴으로써 스스로 더 풍성해질 수 있는 방법을 찾아내야 한다는 생각으로 우리를 데려간다.

이런 상황은 두 시간 동안 펼쳐지는 이야기의 무대가 그저 어느 집 부엌과 거실 등으로 한정해도 충분히 문제가 없도록 만들어 주었다. 특정한 공간에 사람들이 모여들고 거기서 무언가 비밀을 밝혀야만 하는 사건이 벌어지는 영화는 적지 않다. 이른바 공간 중심 영화다. 근작 한국영화만 해도 〈설국열차〉, 〈곤지암〉, 〈터널〉, 〈더 펜션〉 등을 떠올릴 수 있다. 공교롭게도 이 영화들은 대체로 재난이나 공포의 장르를 표방하고 있다. 〈완벽한 타인〉은 그런 면에서도 창의적이다. 특정 공간으로 사람들이 모여들지만, 그 공간 자체가 이야기를 펼치기 위한 강력한 전제 조건은 아니다. 다시 말하면, 이 영화의 공간이 반드시 석호(조진웅 분)와 예진(김지수 분)의 집일 필요는 없다. 누군가의 집으로 옮겨 가더라도, 혹은 호텔이나 레스토랑 같은 다른 공간으로 옮겨가더라도 이야기는 이어질 수 있다.

이야기가 공간을 중심으로 만들어진다는 건, 사건 역시 그 공간 안에서 집중된다는 뜻이다. 다시, 그 내부의 인물들은 공간과 사건에 집중해야만 한다. 독창적인 태도로 사건을 대하는 인물과 성격들이 포진해 있어야 한다. 그렇지 않으면, 변화 없는 공간, 집중된 사건, 차별적이지 않은 인물들로 인해 이야기는 흥미를 잃게 된다. 〈완벽한 타인〉은 그런 의미에서 자신의 개성을 잘 드러낼 성격들이 끌고 가야만 하는 이야기다. 그 완성도가 떨어진다면, 영화는 생기를 잃고 말았을 것이다.

그래서 이 영화의 배우들에게 찬사를 보낸다. 석호, 예진, 태수(유해진 분), 수현(염정아 분), 준모(이서진 분), 세경(송하윤 분), 영배(윤경호 분)의 캐릭터는 연출의 공력과 맞아떨어지면서 충분한 상승효과를 보여준다. 그중에서도 한껏 기량을 뽐낸 수현 역 염정아의 연기는 놀라운 공감을 자아낸다. 아이들과 시어머니 앞에서 집을 나서며 당부를 잊지 않는 중년 주부의 얼굴과 시를 공부하면서 여고 시절 감성으로 돌아가기라도 한 듯 순수한 얼굴, 자기보다 부자로 사는 친구를 헐뜯으며 통쾌해하다가 그게 발각되자 어쩔 줄 모르는 얼굴, 남편이 '게이'임이 드러난 뒤 분노를 참지 못하는 아내의 얼굴이 놀라울 만큼 핍진하다.

영화는 1984년 어린 시절을 속초 영랑호 근처에서 함께 보냈던 네 소년이 34년이 지나고 각자의 아내들과 함께 모여서 집들이를 하는 사건으로 시작한다. 인물 소개 시퀀스를 통해 관객은 이들이 모두 무언가 작지 않은 결핍을 가진 존재라는 점을 알게 된다. 정신과 의사인 예진은 딸 소영(지우 분)과의 갈등 속에서 정작 자신의 불안한 심리를 다스리지 못한다. 가슴 성형전문의인 석호는 아내와 딸의 갈등, 그리고 인정받지 못한 젊은 시절 콤플렉스를 자신의 가슴에 품고 산다. 태수와 수현의 부부 사이는 예전 같지 않으면서 무언가 위압적인 관계로 보인다. 준모와 세경은 죽고 못 사는 신혼이지만, 과도한 애정 표현 뒤에 숨어 있을 것만 같은 그림자가 어른거린다.

결핍으로 구성된 존재들, 영배가 함께 오기로 한 여자 친구 '민서'를 두고 혼자서 도착하면 중심 사건이 펼쳐진다. 문제는 핸드폰이다. 핸드폰을 열어 모두가 공유하자는 게임은 그것의 본질을 알고 있는 사람으로서는 결코 제안할 수 없는 일이다. 왜냐하면 핸드폰은 마셜 매클루언이 공언한 바와 같이 "인간 몸의 확장", 아니 어쩌면 "인간의 몸" 그 자체가 돼버렸기 때문이다.

그런 뜻에서 초반부에 이 게임을 집요하게 몰아붙이는 예진의 의도는 아리송하다. 결말에 이르러 예진이 준모의 또 다른 불륜 상대였다는 사실이 들통난 것을 생각하면 더욱 그렇다. 예진에게 있어야 할 필연성이라면, 이야기를 만들어가야 한다는 그 필연성을 제외한다면, 과연 무엇이었을까? 자기 합리화 혹은 자기 정당성을 향한 확신과 욕망이었을까?

핸드폰을 뒤집어 보자는 제안은 함께 앉은 자리에서 모두 벌거벗자는 요구와 다르지 않다. 노출은 시대와 사회의 합의를 필요로 한다. 시대적 맥락과 사회적 특수성이 노출의 정도를 결정하고 용인한다. 그런 합의가 없는 상황 속에서 자신을 벌거벗는 일은 지극히 위험하기 그지없다. 역설적인 것은 영화의 많은 장면들이 식탁에 앉아 있는 모습을 보여주고 있고, 그러므로 주

로 바스트 쇼트로 구성된다는 점이다. 카메라가 배우들의 하반신을 잡지 않는 경우가 많은데, 그것은 마치 숨기고 싶은 핸드폰의 민낯이 곧 하반신으로 은유되는 것처럼 보인다. 따라서 하반신에 대한 언급은 벌거벗은 속마음을 드러낸다. 예진의 뒤태를 보고 태수가 "야 근데 바지 너무 꽉 끼는 거 아냐?" 라고 내뱉는 말은 오랜 친구 사이에 편하게 던질 수 있는, 그러나 음탕한 본심도 함께 드러내는 고백이 된다.

노출 게임은 모두가 숨겨 두고 싶었던, 아무리 수십 년을 함께 지냈어도 자신만의 세계 속에 간직하고 싶었던, 이 세계 속에서는 공유할 수 없는 다른 세계를 들추기 시작한다. 마흔이 훌쩍 넘었을 이들의 결핍은 겉으로 드러

났던 문제들만으로는 다 설명할 수 없을 만큼 많고 심각하다. 성형외과 의사는 부동산 투자에 실패하고, 변호사는 아내 이외의 다른 여인과 더불어 음심을 채우고 있고, 레스토랑 주인은 신혼의 아내를 두고 여러 여성과 불륜 관계를 이어왔다. 그리고 노총각은 알고 보니 남자를 좋아하는 게이였다.

정보의 종류는 다양하다. 어떤 커뮤니티 구성원 모두가 공유하는 정보가 있는가 하면, 일부만이 공유하는 정보도 있다. 주체만이 알고 있는 정보도 있다. 주체만이 알고 있다 하더라도 극히 일부 타인과 교환할 수 있는 정보도 있고, 아무에게도 승인받지 않으려고 하는, 철저히 숨겨진 정보도 있다. 철저히 숨겨진 정보를 우리는 '비밀'이라고 부르고, 주체는 이것을 다른 세계

속에 노출하지 않음으로써 존재의 의미를 획득한다.

3. 성립 불가능한 명제, '완벽한 타인'

완벽한 타인이라는 명제는 처음부터 성립 불가능하다. 타인은 완벽할 수 없다. 주체가 완벽하지 못하기 때문이다. 주체와 타인은 그 불완전성에 기대어 살아가야 한다. 타인이 완벽하다는 건 주체 또한 완벽하다는 의미이며, 그렇다면 인간은 타인 없이도 존재할 수 있게 된다. 현실적으로 그럴 수 있는 인간은 없다.

이들의 결핍은 친구라고 해결해 줄 수 있는 문제가 아니다. 주체는 던져진 문제를 해결하기 위해 타인을 찾지만, 타인 역시 그 문제를 해결할 수는 없다. 주체와 타인은 모순과 갈등으로 뒤범벅된 관계 속에서 살아간다.

월식은 그런 의미에서 상징적이다. 영화에서 월식은 그저 시간적 배경을 표현하는 장치만은 아니다. 다소 여러 번 월식이라는 상징을 보여줌으로써 영화가 아슬아슬하게 "친절한 빨간펜 선생님"이 될 것 같은 위기도 없지 않지만, 달과 지구의 그림자가 겹쳐지면서 밝은 달이 문득 사라져 버리게 될 때, 그것은 지금 여기 있으나 존재하지 않는 대상, 타인에 대한 물음을 던진다. 영랑호의 상징도 비슷하다. 강과 바다라는 이중 정체성을 동시에 안고 살아가야 하는 복잡한 존재를 특정한 정체성으로 환원해서는 안 된다는 함의가 내포돼 있다. 그렇게 복잡한 정체성 은폐와 노출, 전치, 전환의 과정을 이해할 때만, 우리는 존재할 수 있다.

문제는 주체 안의 다중 주체다. 타인은 주체 바깥에만 존재하는 것이 아니라, 주체 내부에도 존재한다. 우리는 자기 안의 수많은 타인들과 함께 살아간다. 그 타인들을 하나하나 새롭게 만나며 겸손하게 그를 인정하는 일, 그들의 정체성을 간단명료하게 획분하지 않으면서 그 복잡성을 승인하는 과정을 통해서 우리는 주체로 바로 설 수 있다.

임 대 근 _ dagenny@daum.net

한국외국어대학교 교수, 문화콘텐츠비평가, 사단법인 아시아문화콘텐츠연구소 대표, 중국영화포럼 부대표, 한국영화학회 총무이사. 중국영화, 대중문화, 문화콘텐츠 등에 관심을 갖고 강의, 연구, 번역 등의 작업을 수행하고 있음. 최근에는 한-중 영화의 초국적 교류와 상호 관객성, 이야기 구성의 원리로서 트랜스아이덴티티 문제를 연구 중.

폴란드로 간 아이들

감독 추상미
출연 추상미, 이송
각본 추상미
제작 채수응
기획 추상미
촬영 김지훈
제작 커넥트픽처스

혈육 같은 사랑으로 전쟁고아들을 보살핀
폴란드 선생님들의 감동적인 실화!
다큐를 뛰어넘은 감동적인 예술영화!
상처받은 이들이 연대를 통해 서로의 상처를 보듬어 주는,
따뜻한 마음이 무엇인지를 스스로 알아가게 하는 영화
배우 추상미 감독의 성공적인 연출작!
인간이 인간을 향한 선함과 사랑을 환기하는 작품
전쟁고아 중 남한 아이들도 있었다는 충격적인 사실!

— 추천위원의 선정이유 中

다큐멘터리에 대한 편견을 깨트린 웰메이드 영화

— **추상미** 감독 **〈폴란드로 간 아이들〉**

손정순(시인, 쿨투라 편집인)

작년 제23회 부산국제영화제 와이드앵글-다큐멘터리 쇼케이스 부문에 초청된 추상미 감독의 〈폴란드로 간 아이들〉은 기대 이상의 반향을 불러일으켰다. 태풍 콩레이가 부산을 관통했지만 예정된 GV는 객석을 가득 메웠으며, 관객들의 호평이 쏟아졌다. 개봉관에서 예술극장으로 스크린을 옮긴 후에도 이 열기는 장기 흥행으로 이어졌다.

"폴란드 선생님들이 개인의 상처이자, 역사의 상처를 다른 민족의 아이들을 품는 데 선하게 사용한 것처럼, 우리가 가진 상처도 어떤 프레임, 새로운 이데올로기를 만드는 것이 아니라 시민들을 위해 선하게 사용될 수 있다는 믿음을 전하고 싶었다"는 추상미 감독은 여성 감독 최초로 인류의 평화공존과 인권신장에 기여한 공로로 '김대중노벨평화영화상'을 수상했다.

이처럼 〈폴란드로 간 아이들〉이 여성감독에 대한 편견도, 다큐멘터리에 대한 편견도 깨트리고 한 편의 웰메이드well made 영화로 당당히 자리매김할 수 있었던 그 힘은 무엇일까?

연출이 꿈이었던 감독의 시네 다큐

그동안 우리에게 '추상미'는 배우였다. 연극에서 시작해서 드라마와 영화 뮤지컬까지 장르를 넘나드는, 시쳇말로 연기를 아주 똑 부러지게 잘하는 베테랑 배우였다. 뒤늦게 대학원 영화연출과에 입학해서 본격적으로 연출공부를 한 그녀는 "처음 배우를 시작할 때부터 사실 연출이 꿈이었다."(쿨투라

54호)고 밝혔다. 추 감독은 테네시 윌리엄스의 〈욕망이라는 이름의 전차〉 여주인공 블랑쉬나 안톤 체홉의 작품에 나오는 여성 캐릭터에 대한 미련이 있었지만, 그녀가 왕성하게 연기했을 당시만 해도 남성 프레임으로 바라보는 여성이 많았기 때문에 나중에 자신이 직접 연출할 영화에서는 살아있는 캐릭터를 해보고 싶었다고 한다.

아이를 출산하면서 휴학했고 지독한 산후 우울증을 겪던 중 북한의 〈꽃제비(어린이 걸인)〉 관련 영상을 보게 되었으며, 그 후에 지인이 하는 출판사에 놀러 갔다가 우연히 이번 작품의 소재가 된 한국전쟁 고아들의 비밀 실화를 만나게 된 것이다.

그래서일까. 1951년 폴란드로 보내진 1,500여 명의 한국전쟁 고아와 폴란드 선생님들의 비밀 실화를 다룬 다큐멘터리 〈폴란드로 간 아이들〉은 추상미가 직접 기획, 각본, 연출, 출연, 편집을 도맡았다. 이 영화는 처음부터 다큐멘터리로 시작했던 게 아니었으며, 극영화를 만드는 과정에서 끼어든 케이스로 '시네다큐' 혹은 '드라마적 다큐'로 명명해도 좋을 것이다.

〈폴란드로 간 아이들〉의 연출 여정

추상미 감독의 장편 데뷔작인 다큐멘터리 〈폴란드로 간 아이들〉은 북한 꽃제비 출신 탈북 여대생 이송과 추상미의 폴란드 여정으로 전개된다. 두 편의 단편 작업 후 장편 소재를 찾던 감독은 우연한 계기로 검은 머리 검은 눈동자의 동양 아이들을 분신처럼 돌봤던 폴란드 선생님들이 아직도 그들을

잊지 않고 그리워하는 영상을 보게 된다. 폴란드 선생님들이 이방인을 향해 보여준 순수하고 헌신적인 사랑, 그 근원에 대한 물음이 〈폴란드로 간 아이들〉의 단초이다. 극영화 자료 조사차 폴란드를 방문했던 감독은 "우리 사회에 거의 알려지지 않은 비밀 실화였기 때문에 다큐멘터리로서의 기록이 무엇보다 중요하다"고 생각했으며, "분단현실의 현재성을 조명하기 위해 탈북 소녀 송이와 여정을 함께했다고 말한다.

영화는 2차 세계대전을 온몸으로 겪은 폴란드 선생님들과 한국전쟁의 피해자인 고아들의 이야기가 씨실과 날실처럼 엮이며 먹먹한 감정을 자아낸다. 세계열강에 둘러싸여 분단을 경험한 두 나라의 비슷한 역사는 특별한 교감을 느끼게 했다. 극중 폴란드 선생님들은 거의 70여 년의 세월이 흐른 현재에도 당시 아이들이 사용했던 몇몇 한국어를 기억하고, 지금도 사랑한

다고 전해달라고 울먹이자 객석 여기저기서도 훌쩍이는 소리가 들렸다.

상처가 깊을수록 동일한 상처를 겪은 사람에게 느끼는 감정 또한 깊어지는 법이다. 그래서일까. 폴란드 선생님들은 기차역에 처음 보는 동양 아이들이 도착했을 때 타국의 아이들이 아니라 내 유년의 일부처럼 느끼며, 자신을 '엄마' '아빠'라고 부르게 했다. 폴란드 선생님들 역시 전쟁의 상흔이 깊었기에, 북한 전쟁고아들을 혈육처럼 보듬었고, 이를 통해 그들의 상처 또한 치유할 수 있었던 것이다.

시련과 상처들이 선하게 쓰일 수 있다

인터뷰에서도 또한 몇 차례 참석한 영화 GV에서도 추상미 감독은 폴란드 선생님들이 아이들에게 쏟았던 아낌없는 사랑에 거듭 경의를 표했다.

“상처들을 치료해줄 수 있는 것은 폴란드가 깊어요. 저는 자신의 상처를 다른 민족의 아이들을 품는데 선하게 썼던 폴란드 선생님들의 실화를 통해 전쟁과 분단의 역사를 가진 우리들의 상처는 어떻게 성찰되어 왔는지를 되돌아봤습니다. 시련과 상처들이 선하게 쓰일 수 있다는 믿음, 이 메시지를 통해 관객분들도 위안을 받으셨으면 좋겠습니다. 그리고 영화를 보시고 많은 눈물을 흘리는 것만으로도 치유가 될 수 있지 않을까 생각합니다. 그 안에서 영화와 예술을 얘기할 수 있고, 문학도 얘기할 수 있지 않을까요?”

폴란드 선생님들이 보여준 사랑과 평화의 메시지는 관객들에게 ‘위대한 사랑’을 전했다. 전쟁과 분단을 넘어 화해와 통일을 향해 가는 현재의 우리에겐 어쩌면 숙제 같은 영화다. 폴란드 선생님들처럼 우리도 그 아이들에게 “사랑한다"고 전하고 싶다.

고아들이 다시 북한으로 송환된 이후 폴란드어와 러시아어에 능통했던 아이들은 대부분 엘리트 그룹을 형성했고 40여 년 후에 폴란드 대사나 영사가 되어, 혹은 교환교수가 되어서 폴란드를 찾기도 했다고 한다. 그리고 폴란드로 보내진 아이들이 모두 북한의 전쟁고아인 줄 알았는데 남한의 아이들도 같이 있었다는 사실은 충격이었다.

추 감독은 부산영화제 GV에서 본인의 고등학교 때 선생님이 폴란드 전쟁고아 출신이었다는 탈북민이 오기도 했고, 아버지가 폴란드 전쟁고아 출신이라는 분도 연락이 닿았다고 전했다. 또 그 아이 중 한 명이 탈북하여 남한

에 거주하다가 작년 간암으로 타계했다고 한다.

다큐멘터리를 뛰어넘는 웰메이드 영화

폴란드로 간 전쟁고아들의 역사적 현실을 직접적으로 다루면서 현실의 허구적인 해석이 아니라 있는 그대로의 생생한 증언을 전달하는 다큐멘터리 〈폴란드로 간 아이들〉. 이 영화가 선전 영화도 계몽 영화도 아닌, 현실을 윤색하지 않고 그대로 보여 준 다큐멘터리였기에 더욱 감동적이었다.

그러나 역사 속의 객관적 기록인 다큐멘터리 〈폴란드로 간 아이들〉은 감독이 카메라를 들이대면서부터 과거와 현재의 시간을 오가며 "상처의 연대는 악순환이 아닌 선순환을 그려낼 수 있다"는 새로운 해석의 프레임을 담아냈다.

다큐멘터리가 여론을 형성하는 데 중요한 역할을 감당하지만 상업적 이윤을 보장하지 못하기 때문에 결코 제작사와 투자자들이 선호하는 장르라고 할수 없다. 이러한 현실에서 관람객 평점 9.63점은 물론 기자와 평론가로부터도 높은 평점을 받으며 장기 흥행을 이어가는 이 영화야말로 다큐멘터리를 뛰어넘는 웰메이드 영화가 아닐지.

손 정 순 _ more-son@hanmail.net
고려대학교 대학원 국문과 박사과정 졸업. 2001년 《문학사상》으로 등단. 시집으로 『동해와 만나는 여섯 번째 길』과 저서로 『흰 그늘의 미학, 김지하 서정시』, 『목월 詩의 현대성』 『문화예술현장에서 통섭적 글쓰기』 등이 있음. 월간 《쿨투라》 편집인.

민규동 감독

허스토리

감독 민규동
출연 김희애, 김해숙
각본 민규동
제작 박자명
기획 민규동
촬영 이정원
제작 수필름

시나리오와 연기, 연출 등 작품이 잘 나왔고
진한 감성과 지적 흥미를 자극. 더 늦기 전에 더 많이 기억하고
더 많이 전수해야 할 용기와 끈기.
위안부 소재 영화의 고발적 성격, 소녀적 순결주의,
목소리를 내게 하기의 레퍼런스를 이어받아 단일하지 않은
피해자들의 입장과 증언의 불일치 속에서도
왜 여전히 그들과 연대해야 하는지를 보여줬다.
기존 '종군 위안부'영화에서 피해자를 '전시'하는 것 같은
불편함이 있었던 반면 '허스토리'에서는 피해자가 생존자이자
활동가가 되어 세계운동사에 굵게 기록될 '허스토리'를 전개한다.
영화의 사회적 소명을 다시 한 번 깨닫게 하는 영화이다.

— 추천위원의 선정이유 中

〈허스토리〉가 가로지르는 길들 혹은 물음들

— 민규동 감독 **〈허스토리〉**

이수향(영화평론가)

위안부 소재 영화라는 곤경

일제 강점기 일본군에 의해 자행된 성노예 문제 즉 종군 위안부를 소재로 한 영화는 초기의 역사 고발적 성격에서 순결주의 이데올로기적 분노의 투영, 그리고 피해자의 목소리로 발화하게 하기라는 인식적 확대를 거치며 만들어져 왔다. 특히 2017년에 개봉된 김현석 감독의 〈아이 캔 스피크〉는 더 이상 소녀적 이미지에 피해자들을 가두지 않고 이제 노년이 된 그들의 고통이 계속되고 있음을 보여줌으로써 대중적 공감대를 확대했다는 점에서 좋은 평가를 받았다. 그러므로 2018년에 다시 한 번, 위안부 소재의 영화인 〈허스토리〉가 개봉되었을 때 이 영화가 얼마만큼의 성과를 더 보탤 수 있을 것인지에 대해 궁금할 수밖에 없었다.

종군 위안부에 대한 부채감과 일본에 대한 적개심이라는 예상가능성의 측면에서 신선하지 못하다는 지적과 어두운 역사에 대해 더 이상 들추고 싶지 않아하는 불편함이 대중적 심리에 같이 공존하고 있었던 것이다. 이 영화 속에도 묘사된 바와 같이 위안부 할머니들을 향해 그게 뭐가 자랑이냐고, 그만 좀 하라고 화내는 사람들도 소수지만 존재한다. 소재 자체가 주는 위압감과 불행 서사를 영화라는 오락 매체를 통해서 보고 싶지 않은 저항 심리의 곤혹스러움이 영화 외적으로 〈허스토리〉에 드리워져 있었던 것이다.

한편, 서사 내적으로 비분강개와 위안이라는 카타르시스의 한계와 정치적 올바름이라는 손쉬운 만족감을 통해 시민의식의 고양이라는 환상을 가로지르고 잊혀진다면 영화 완성도의 측면에서는 더욱 비판을 받을 수밖에 없었다. 그러므로 위안부를 다룬 영화가 주는 기대치를 배반하면서도 더 나은 인식적인 새로움을 보여주어야 한다는 것, 그것이 이 영화 앞에 놓인 양자의 곤경이었던 것이다.

피해자의 피해자성의 균열

〈허스토리〉는 초반부의 자막에서 나오듯 강제로 끌려가 일본군 성노예 피해자가 된 '위안부' 원고 3명과 일본 공장에 동원된 '근로정신대' 원고 7명, 총 10명의 원고단이 시모노세키(下關)와 부산을 오가며 진행한 '관부재판'을 다룬 영화이다.

주인공인 문정숙 사장(김희애)은 부산에서 여행업으로 제법 돈을 벌고 지역 여성 사장들 모임에도 참여를 하는 입지전적인 인물로, 기생관광으로 영업정지를 당하게 되자 사회봉사 차원에서 정신대신고센터를 개설하면서 위안부 문제에 관여하게 된다. 그리고 문사장의 집에서 가사도우미로 일하던 배정길 할머니(김해숙)를 비롯해 여러 명의 피해자들의 증언을 모아 일본에게 사죄를 받아내려는 재판을 진행하게 된다. 영화는 이 과정들을 1991년~1998년간 이루어진 재판과 구두변론들을 통해 법정물의 형식으로 풀

어낸다.

이 영화는 소재의 특성상 윤리적 차원에서 '선한 할머니들'/ '악한 일본'을 상정할 수밖에 없고 그런 측면에서 여전히 국수주의적 정념이 영화 전체를 감싸고 있다. 그러나 인물 성격화 차원에서 상당히 입체적인 방식으로 그려지고 있다는 점이 이 영화의 강점이다. 등장하는 인물들은 모두 나름의 성격과 등장 이유를 명백히 갖고 영화 내에 존재한다는 것이다.

문사장은 성장 서사의 주체로서, 그간 계몽주의적인 색채를 가진 교양소설(Bildungsroman) 속 주인공 남성의 자리에 여성을 위치시켰다는 점에서 이채롭다. 최근의 영화들에서도 평범한 소시민이던 사람이 역사의 소용돌이에 각성하여 분발하는 서사의 주인공은 〈변호인〉과 〈택시 운전사〉처럼 늘 남성

이었다. 이 자리에 여성이 놓였다는 것은 이 영화가 특정 소재에만 함몰되는 영화가 아니라 여성들 간의 연대와 책임 의식에 대해 고민하는 영화임을 보여주는 것이다. 그간 오달수, 유해진 배우 등이 맡았던 주인공의 동성 조력자이자 서사적 긴장을 이완시켜주는 역할은 문사장을 돕는 여성경제인연합의 신사장(김선영)이 담당하여 워맨스를 펼친다.

가장 흥미로운 것은 피해자들의 피해자성을 단일화하지 않는 태도이다. 박순녀(예수정) 할머니는 몸에 상흔(문신과 자궁 적출 수술 자국)을 남긴 채 끝내 평탄한 삶을 살지 못했던 피해자들의 일반적인 상황을 보여주면서도 욕지기와 흡연으로 상징되는 강한 캐릭터를 표현한다. 이와 대비되는 서귀순(문숙) 할머니는 쪽진 머리와 옥색 한복, 온건한 말투로 성격 표현을 하면서도 위안부가 아닌 근로정신대 출신이라고 할머니들과 자신을 구분 지으며, 재판장에서 일본인 선생의 증언을 추동하는 강력한 서사적 기능을 수행한다. 이옥

주(이용녀) 할머니는 정신이 온전치 않아 유아적인 모습으로 내내 작은 웃음을 유발하지만 변론 과정에서 '대를 이을 아들' 대신이라는 미명 아래 '딸'로서 희생된 것이었음이 드러난다. 이를 통해 할머니들의 고통의 범주를 가부장제 하의 여성의 고통이라는 좀 더 통시적인 관점의 문제로 확대시킬 수 있는 인식을 얻게 된다.

피해자의 범주 설정에 대한 그간의 통념에도 새로운 문제를 제기한다. 홍여사(박정자)는 끌려갔지만 나중에는 위안소 주인이 되었다고 고백한다. 이에 대해 문사장은 "처녀는 피해자고 창기는 피해자 아닙니까, 피 빨린 거는 똑같죠."라고 변호한다. 배정길 할머니의 아들 역시 매독에 걸린 모체로부터 물려받은 뇌병변을 앓고 있다는 점에서 문사장에 의해 '어머님 재판이면서 당신 재판'이기도 하다는 말을 듣는다. 이러한 장면을 통해 전형적인 피해자의 형태에 들어가지 않았던 이들도 이 범주로 구성될 수 있음을 보여주고 있다.

영화에서 내용상의 변곡점을 담당하는 폭로의 플롯을 쥐고 있는 인물은 배정길 할머니로, 그녀의 진술에서 허위가 드러나는 장면은 서사적 위기를 구성하며 원고단 전체를 혼란에 빠뜨린다는 점에서 충격을 준다.

이렇듯 다양한 서사적 기여도를 가진 인물을 통해 같은 피해를 겪은 원고단 속에서도 완전히 일치하지 않는 생각들과 각자의 입장 차이들을 제시한다는 부분이 피해자의 피해자성에 대한 단순한 인식을 깨뜨리는 지점이다. 심지어 문사장과 이상일 변호사(김준한)가 재판에 이기기 위한 서귀순 할머니의 진술방식 놓고서 격론을 펼치기도 한다. 이는 어떠한 의견 균열도 허용치 않는 매끈한 이해 공동체라는 것이 가능하지 않다는 인식에서 기반한 것이다. 나아가 피해자들의 각기 다른 목소리와 의문들에 대해 이 영화가 대면하는 태도를 보여주는 부분이라고 할 수 있을 것이다.

또 다른 여성 서사를 기대하며

유지나는 1999년의 한국 영화계를 설명하면서 "영화가 현실을 표상하는 것이라고 전제한다면, 이 시기 한국 영화 세상은 남성만의 세상이다."(『여성 영화산책』, 161쪽)라고 조망한 바 있다. 그로부터 20여 년이 지난 지금, 한국 영화계는 얼마만큼의 젠더 다양성이 이루어져 있는가. 지난 몇 년간 우리 사회의 주요 담론이 된 페미니즘의 흐름이 영화계에도 본격적으로 영향을 미쳐서 2018년에도 여성 중심 서사의 영화들이 많은 공감을 얻었고, '허스토리언(영화 〈허스토리〉의 팬들)'이나 '쓰백러(영화 〈미쓰백〉의 팬들)'와 같이 적극적인 관객들의 지지를 얻어내기도 했다. 그러나 영화라는 장 안에서 여성은 어떠한 방식으로 형상화되고 무엇을 욕망하고 있는가라는 문제에 있어 한계가 있는 것이 현실이다. 여전히 여성의 서사를 말하는 것은 저예산의 고된 작업이며, 주요 영화에 여성 인물들이 등장하더라도 쾌락주의적 대상화의 시선이나 남성 인물의 목적 달성을 위한 수단에서 벗어나기가 쉽지 않다. 소재가 제한적인 여성 영화들이 애써 만들어지더라도 낮은 관객 스코어는 제작과 창작의 양 주체를 낙심케 한다. '허스토리언'과 '쓰백러'들의 유의미한 공감과 연대 속에서도 여성 중심 서사는 '잘 팔리지 않는' 서사로 치부되는 경향이 있다.

그러나 그렇더라도 여성 서사는 계속 만들어지고 시행착오를 거치면서 다시 또 만들어져야 한다. 그러한 고군분투의 다양한 노력 중의 하나로 〈허스토리〉는 유의미하다. 이 영화는 위안부 피해자들에게 목소리를 부여하면서도, 영화적 과시를 위해 이들의 아픔을 카메라로 전시하는 우를 범하지 않으며, 위안부 문제를 통해 민족주의의 단순한 분노를 넘어서 여성의 몸과 역사에 새겨진 약자로서의 여성이라는 공통된 영역을 상상해낸다. 나아가 민족–젠더–폭력–세대의 다양한 항들을 교차시키고 있다는 점에서 현재의 여성주의가 당면한 문제의식을 확대하고 있다. 단일하지 않은 그들의 입장과 증언의 불일치 속에서도 현재에도 지속되는 아픔들을 손쉽게 봉합하지는 않는 미덕을 통해 왜 여전히 그들과 연대해야 하는지를 보여주고 있다는 것이다.

그렇다면, 또 다른 위안부 소재 영화가 더 만들어져야 하는가. 종군 위안부에 대한 문제는 역사적 책무, 정치적 고려와 실익, 할머니들의 생물학적 죽음* 이라는 현실 사이에서 누구나 알고 있지만 아무도 중심에 육박해 들어가지 않는 처치 곤란함으로 여전히 우리에게 남아 있다. 이는 피해자의 고통은 고려하지 않은 채 국가 간의 사정이라는 것으로 이루어지는 합의 즉, "이 문

---

* 이 부분은 영화의 개봉 이후 다소 논란이 되었는데, 원래는 "2017. 4. 4. 관부재판 마지막 할머니가 세상을 떠났다"라는 자막이 영화의 마지막 장면에 삽입되었으나, 일본시민단체인 '전후 책임을 묻고 관부재판을 지원하는 모임' 측은 생존한 할머니들이 있는 등 몇 가지 문제제기를 했고, 제작사는 이를 받아들여 "2018년 현재 관부재판의 원고는 두 명만 생존해 있다."로 수정되었다.

제가 최종적 불가역적으로 해결될 것임을 확인한다."(윤병세 외교부장관, 2015년 12월 28일)라는 공언이 가진 부조리성으로 다시금 환기되는 질문이다.

이에 대한 답은 영화의 말미, 문사장의 입을 통해 발화된다고 볼 수 있다. "이겼다고도 졌다고도 할 수 없고, 아직 안 끝났다 뭐 이래 말할 수 있겠지예. 끝날 때까진 끝난 게 아니니까."

결국 이러한 영화들은 다시 만들어질 것이고 끊임없이 재탈각되고 의미화되는 과정을 통해 단순히 한 시대의 원한 감정만을 보여주는 차원이 아니라 보다 보편적 윤리적 책무를 수행하는 과정을 겪게 될 것이다.

이 수 향 _ ardor1024@naver.com

영화평론가. 2013년 한국영화평론가협회상 신인평론상 수상. 국문학 박사를 수료했고, 현재 영화와 문학의 연대와 길항에 대해 고민하고 있다. 공저로 『1990년대 문화 키워드 20』, 『영화광의 탄생』, 『영화와 관계』 등이 있다.

더 포스트

》 스티븐 스필버그

보헤미안 랩소디

》 브라이언 싱어

외국 영화

로마

》 알폰소 쿠아론

서치

《 아니쉬 차간티

셰이프 오브 워터

》 기예르모 델 토로

쓰리 빌보드

〉〉〉 마틴 맥도나

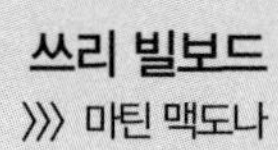

어느 가족

︾ 고레에다 히로카즈

외국 영화

콜 미 바이 유어 네임

︽ 루카 구아다니노

플로리다 프로젝트

〈〈〈 션 베이커

팬텀 스레드

〈〈〈 폴 토마스 앤더슨

브라이언 싱어 감독

보헤미안 랩소디

감독 브라이언 싱어
출연 라미 말렉, 루시 보인턴
각본 안토니 매카튼, 피터 모건
제작 그레이엄 킹, 브라이언 싱어
기획 아논 밀천, 데니스 오 설리번, 제인 로젠탈
촬영 뉴턴 토머스 시겔
음악 존 오트만
음향 팀 카바진, 폴 마시
편집 존 오트만

신드롬이자 현상이 되어버린 영화로
영화관의 장래를 그려낸 기획적 성공.
처음에는 프레디 머큐리 역을 맡은 배우 라미 말렉에게 몰입할 수 없었는데, 러닝타임이 지나가면서 그에게서 프레디가 보이기 시작했다. 문화산업과 아티스트의 자긍심 사이에서의 갈등과, 대중성과 예술성 사이에서의 줄타기를 보는 것도 흥미로웠다.
영화와 음악, 그리고 추억 모두의 기적.
음악은 중요한 영화적 요소, 노스탤지어를 불러오는 음악의 힘.
리드미컬하게 직조해 낸 프레디 머큐리.
노래만큼이나 마음을 적시는 명대사.
머큐리, 지금 이 시대의 소수자성과 다양성의 아이콘으로 부활하다.
'미스터 가가' 프레디 머큐리와 '미스 머큐리' 레이디 가가에게 경의를!"

— 추천위원의 선정이유 中

시대와 세대 넘어선 음악영화의 마력

— 브라이언 싱어 감독 〈보헤미안 랩소디〉

유지나(영화평론가, 동국대 교수, '오늘의 영화' 기획위원)

〈보헤미안 랩소디〉는 락 밴드 퀸의 4집 앨범 'A Night At The Opera'의 대표곡이다. 그 곡명을 제목으로 내건 이 작품은 음악 중심 전기영화이다. 그런데 이 영화 다시보기 열풍이 불정도로 한국 극장가에서 프레디 머큐리 시대 퀸 팬덤 문화가 사회문화적 현상으로 작동 중이다. 그런 의미에서 이 작품은 종합예술로 불리는 영화의 기능을 씨네 콘서트로 증명해내는 셈이다. 지난해, 그러니까 2018년 10월 말 개봉 후 장기상영에 들어간 이 작품은 (이 글을 쓰는 현 시점인) 2019년 1월 중순 천만 관객 흥행가능성으로 화제가 되기도 한다. 심지어 퀸의 고향인 영국보다 한국에서 더 큰 호응을 불러일으키는 특이한 사례로 해외언론 특집기사가 나올 정도로 대중적 영화콘서트의 감정이입 공감대 파장이 퍼져나가는 중이다.

이 작품은 1970년 '스마일' 밴드가 퀸으로 변화하는 초기부터 월드투어에 나서는 전설적 밴드가 되기까지 15년간의 여정을 창작과 공연 과정을 오가

며 담백한 서사로 풀어내 보인다. 그런 설정에서 프레디란 인물을 매력적 페르소나로 설정해 그 개인사에 초점을 맞춘다. 서사영화가 중심으로 자리 잡은 영화 제작에서 실화에 근거한 전기 영화는 고증문제를 둘러싸고 픽션과 논픽션 사이 길항작용이 발생하곤 한다. 이 영화에서도 전기적 사실과 영화적 재현 사이 엇나가는 문제로 지적되는 점들도 상당수 존재한다. 이를테면 영화의 핵심 스펙터클인 결말부 공연 시기와 프레디의 에이즈 감염 시기가 엇나가는 문제, 다른 3인 멤버를 개별 캐릭터로 적확한 시점에 재현해내지 못한 점 등이 그런 경우에 속한다. 그에 비해 밴드는 아니어도 프레디가 퀴어로 변한 후에도 신뢰와 우정을 나누는 메리 오스틴은 주요한 캐릭터 역할을 수행하는 것으로 재현된다.

이 작품의 대표적 시퀀스이자 핵심 에피소드는 대미를 장식하는 공연이다. 십만 관중을 사로잡는 종합예술 퍼포먼스, 무엇보다 죽음을 감지한 프

레디의 존재감이 솟구치는 에티오피아 난민 후원 공연인 라이브 에이드(Live Aid) 무대는 시대와 세대를 넘어 소통하는 락 콘서트 공연장을 스크린으로 생성해낸다. 유튜브보다 더한 생동감으로 생중계처럼 펼쳐지는 20여 분에 달하는 이 콘서트는 픽션과 논픽션의 색다른 결합을 보여준 브라이언 싱어 감독의 음악영화 흥취를 증명해낸다.

그 여파로 나 역시 표현의 자유가 부재했던 시절 라디오 음악에 탈출구처럼 접속했던 기억이 되살아나기도 한다. 밤마다 작은 트랜지스터로 듣던 한 밤의 음악 프로그램들, 거기서 들었던 "라디오 가가, 라디오 구구" 후렴구는 그들 노래에 감정이입하게 만드는 주술처럼 작동한다. 프레디가 혼신을 다한 몰입의 경지에서 테너 이상 고음으로 오페라적 감성을 토해내며 "갈릴레오, 갈릴레오…"를 부르는 〈보헤미안 랩소디〉는 6분에 달하는 길이가 오히려 대중예술과 클래식의 격차를 넘어서게 해준다. 관중이 함께 거대한 웸블리 스타디움을 울리는 〈We Will Rock You〉 리듬과 가사는 쉽게 접속 가능하다. 영화에서 보듯이, "We Will, We Will, Rock You"하며 모두 같이 장단 맞

춰 부르는 부분은 대중적 감정이입을 떼창으로 소화해낸 음악의 마력을 증명해 보인다. “우린 챔피언이야, 친구여/그래서 우린 끝까지 계속 싸울 거야/루저를 위한 시간은 없어/이 세상에서 우린 챔피언이니까” 하며 이어지는 노랫말은 1등주의 찬양이라기보다 상처투성이 약자의 연대와 투쟁을 보여준 광장 촛불집회 코드로 접속되기도 한다. 2천년대 한국 초상화로 작동하는 ‘헬조선’ 코드로 풀어보면, 표현의 자유가 살아난 현재에도 압축성장 그늘에 가려진 온갖 모순과 적폐, 억압적 관습이 미투운동으로 연일 터져나오는 중이 아닌가. 그런 아픔이 미세먼지처럼 퍼져나가는 와중에 서구의 70, 80년대 퀸의 음악은 2천년대 한국사회에 소통하는 공명 효과를 발휘하는 셈이다.

특히 도입부에서 막판에 결정타로 작동할 ‘라이브 에이드’ 준비과정을 예고한 서사구조는 일종의 액자구조(mise-en-abime)의 효능을 맘껏 발휘한다. 그 과정으로 소개되는 퀸의 성장과정은 프레디의 등장과 공헌으로 연결된다. 이를테면, 여왕이 존재하는 시기 풍요로움을 누린 영국에서 퀸이란 명칭이, “두 명의 퀸이 존재한다”라는 자부심으로 작동할 수도 있다. 그러나 성

소수자 퀴어(Queer)문화에서 보듯이 퀸은 퀴어의 유사어로 기능하기도 한다. 그런 점에서 마치 자신의 성소수자 성향을 예감한 듯 프레디는 밴드 이름을 스마일에서 퀸으로 바꾸기를 제안해 독자성을 확보한다.

프레디의 도발적 저항성과 밴드 이탈 시도, 퀴어로 변신하는 과정 끝에 전설적 무대로 진행되는 서사는 대중음악 밴드로서 퀸의 가치와 그 역사성을 따라잡게 해준다. 그 여정에서 프레디는 독보적 예술가 페르소나 탐구의 장으로 작동한다. 영국 식민지였던 아프리카 잔지바르에서 태어난 프레디는 인도 국제학교에서 다양한 예술적 교육을 받고 영국으로 건너온 이민자로 에이즈로 사망한 상처투성이 아웃사이더 퀴어이다. 그런 그의 아픔과 고뇌, 탈주를 광적으로 풀어낸 〈보헤미안 랩소디〉 창작과정과 공연은 그가 겪어온 차별과 그로 인한 콤플렉스, 퀴어 문제로 당대 영국사회에서 당한 스캔들 등… 온갖 문제를 음악 예술의 흥취로 날려버린다. 실제로 무대공연에서 보듯이 그와 관객의 소통 에너지는 대단한 음악의 힘을 증명해준다. 바로 이 지점에서 프레디 역을 소화해내는 라미 말렉 또한 신들린 듯한 연기로 흡수력을 발휘한다. 심한 뻐드렁니를 가리고픈 욕망으로 기른 진한 콧수염, 당당한 상체를 맘껏 드러내는 민소매 속옷 같은 셔츠, 하체 윤곽이 적나라하게 드러나는 타이트한 진바지 복장으로 스탠드 마이크를 기타처럼 휘두르며 무대를 누비는 장면들은 픽션과 논픽션의 경계를 봉합해 버릴 정도로 프레디로 라미가 융합되는 몰입의 향연을 제공해준다. 그래서인지 처음에는 프레디에 비해 왜소하게 느껴지던 라미의 이질감은 시간이 지나가면서 음악 속에 점점 소멸돼가는 것만 같다.

그에 비해 퀸을 구성하는 다른 세 멤버들은 그만큼 아웃사이더로 보이지 않는 부르주아 백인 청년들로 보인다. 그럼에도 불구하고 그들이 같이 곡을 만들며 때론 갈등을 겪으며 부딪치는 장면에서 저마다의 입장과 방식으로 기존 체제 모순으로부터 탈주하고픈 욕망을 음악으로 풀어내는 면모를 엿보게 해준다. 표현 강도는 약하지만 한때 밴드를 떠났던 프레디가 죽음을 예감하며 강렬하게 부탁해 재결합하는 장면은 짧지만 의미심장하다. 그를 다시 받아주기로 결정하기 직전 세 멤버는 사무실에서 잠시 나가 있으라, 라고 그에게 명령하듯 주문한다. 마치 그를 빼놓고 심각한 논의를 할듯하지만 그냥 그에게 그러고 싶어서 해봤다는 코믹한 대화는 따로 또 같이 하는 이들의 음악적 연대감을 가늠하게 해준다. 그래서 죽음을 예감한 프레디에게 로저가 "너는 전설이야!"라고 하자, "우리 모두 전설이야. 모두 아웃사이더들(Misfits)이야" 라고 프레디가 응수한 것이리라. 그런 상징성은 엔딩 크레딧에서 나오는 〈Don't Stop Me Now〉와 〈The Show Must Go On〉 리듬을 타고 여운을 남긴다. 그것은 셰익스피어의 말처럼, "인생은 무대 위 한 편의 연극"이기에 프레디도 퀸도 거기 호응하는 현재 한국 관객도 씨네 콘서트 붐을 생성해낸 셈이다.

유 지 나 _ ginarain8@gmail.com
영화 평론가. 파리7대학 기호학과 문학박사(영화기호학). 저서로 『유지나의 여성영화 산책』 『한국영화, 섹슈얼리티를 만나다』(공저) 등이 있음. 동국대학교 영화영상학과 교수.

스티븐 스필버그 감독

더 포스트

감독 스티븐 스필버그
출연 메릴 스트립, 톰 행크스
각본 조쉬 싱어
제작 스티븐 스필버그
기획 톰 카르노브스키
촬영 야누즈 카민스키
음악 카터 버웰
음향 크리스터 멜렌
편집 존 그레고리

"페미니즘에 화답하여 70년대 탐사 저널리즘 새롭게 쓴 상업 감독이 진정 작가임을 입증한 작품.
할리우드 영웅의 또 하나의 전범.
기자란 무엇인가를 보여주는 클래스.
워터게이트 사건의 폭로를 여성이 풀어가는 새로운 시선.

— 추천위원의 선정이유 中

시대를 바꾼, 한 여성의 어려운 선택 〈더 포스트〉

– 스티븐 스필버그 감독 **〈더 포스트〉**

김동환(영화 프로듀서, 중앙대학교 겸임교수)

〈더 포스트〉에서 가장 인상 깊었던 장면 중 하나는 마지막 엔딩 씬이다. 실제 닉슨 미국 대통령의 통화 내용이 그대로 나오는 장면으로, 닉슨은 앞으로 절대 워싱턴 포스트 기자는 백악관에 단 한 명도 출입시키지 말라고 지시한다. 닉슨의 실제 목소리와 함께 보이는 영상은 미국 민주당 전국위원회 사무실이 있는 워터게이트 건물이다. 건물 경비원이 열려진 사무실 문을 열고 손전등을 비추며 들어간다. 곧 영상은 워터게이트 건물 전면을 보여주며 손전등을 들고 움직이는 사람들을 보여주며 끝난다.

〈더 포스트〉의 이 엔딩 씬은 1977년 아카데미 4개 부분 수상작인 〈모두가 대통령의 사람들〉(1976)의 오프닝 시퀀스로 바로 연결이 된다. 이 영화의 오프닝은 닉슨대통령이 헬기에서 내리고 나자 공화당 의원들의 열렬한 환영을 받으며 의회에 입장하고 연설을 시작한다. 이후, 영화 타이틀이 나오고 본격적으로 영화가 시작되면서 나오는 첫 씬이 바로 〈더 포스트〉의 마지막 씬과 동일하다. 미국 역사상 대통령직 임기를 못 마치고 물러난 초유의 대통령이 된 닉슨과, 역사상 최초의 패배한 전쟁인 베트남 전쟁. 이 역사적 소용돌이의 가장 중심에 있던 신문사가 바로 〈워싱턴 포스트〉다.

그동안 우리는 닉슨 대통령 개인이나 워터게이트 스캔들을 소재로 한 영화들을 많이 봐 왔다. 그 영화들 중 대다수는 닉슨 대통령 혹은 그와 직, 간접적으로 연관이 되었던 사람들을 중점적으로 다루었고, 공교롭게도 거의 모든 영화 속 주요 캐릭터들은 대부분 남성이었다. 아카데미상을 수상했던 〈모두가 대통령의 사람들〉도 결국 워터게이트 스캔들을 폭로했던 밥 우드워드, 칼 번스타인 두 남성 기자의 이야기다.

2016년 아카데미 시상식에서 1개 부문 수상과 5개 부문 후보에 올랐던 영화 〈스파이 브릿지〉에서 동서 냉전 시대의 스파이물을 묵직하게 연출한 헐리우드의 거장 스티븐 스필버그. 그가 〈더 포스트〉의 연출을 맡았고, 워싱턴 포스트지의 회장인 케이 그래엄 역에는 메릴 스트립 그리고 편집국장 벤 브래들리 역에는 톰 행크스가 캐스팅 되었다. 역사적 격변기인 70년대 미국의 현대사를 다루는 영화에는 언제나 당대 최고의 배우들이 캐스팅 되었다. 앞서 말했던 워터게이트 스캔들을 폭로한 두 기자의 이야기에도 당시 최고 배우였던 로버트 레드포드와 더스틴 호프만이 캐스팅 되었으니 이 사건의 역사적 무게감을 알 수 있다.

전투장면으로 시작하는 영화

영화의 시작은 베트남에서 일어난 전투 장면으로 시작된다. 비록 짧은 시퀀스의 전투 장면이지만 여러가지 함축된 정보를 담고 있으며, 스필버그 감독이 수없이 연출해 온 전투 장면처럼 짧지만 큰 긴장감을 가지고 보게 된다. 하

지만 그 긴장감의 힘은 이번엔 좀 다르게 관객에게 다가간다. 인종에 상관 없이 징병을 당해 참전 중인 미국의 젊은 병사들이 얼굴에 위장크림을 바르며 전투를 준비하지만 그들의 표정엔 지친 기색이 역력하다. 특히 그들과 교대하는 다른 부대원들의 얼굴에서 보여지는 무표정함과 패색 짙은 병사의 모습은 초강대국 미국의 뜻대로 전쟁이 치뤄지지 않는다는 것을 반증한다.

그 병사들과 함께 수색 작전에 참전하여 보고서를 쓰는 댄 엘스버그 기자. 그와 함께 수색을 나갔던 병사들은 매복해 있던 베트남 해방전사들에 의해 습격을 당하게 된다. 전투가 끝난 후, 헬기에 후송되는 부상병들과 비닐백 속에 들어 있는 전사자들이 한 공간에 보이고, 그 공간 속에서 댄은 타자기

를 두드리며 보고서를 쓰고 있다. 이때 댄이 쓰는 보고서는 미국이 절대 전쟁에서 승리할 수 없다는 국무장관 맥나마라의 보고서에 영향을 줬을 것이라는 추측이 충분히 가능하다.

케이와 이사회

남편의 갑작스러운 죽음으로 인해 신문사 회장이 된 케이(메릴 스트립 분). 그녀는 회사 주식의 일부를 투자기관에 매각해서 안정된 운영자금을 확보하려 한다. 당시 미국의 언론사가 남성의 위계질서 강한 문화를 바탕으로 운영되는 조직이란 걸 보여주기 위해서 스필버그 감독은 한 씬으로 그것을 설명

한다. 케이가 문을 열고 이사회가 열리는 회의장에 들어가자 수트를 입은 수십 명의 남성 임원들이 그녀를 맞는다. 이 씬은 남자들의 세계에 들어간 케이의 심리 상태와 불안정한 회장의 위치를 관객들이 잘 느끼게 해주는 아주 효과적인 씬이다.

이사회 회의 장면에서 카메라는 몇몇 회사 임원의 얼굴만 클로즈 업 할 뿐 나머지 이사들의 얼굴은 스크린에 나오지도 않고 상반신 양복 자켓만 비춰준다. 이때, 스크린에 등장하는 케이는 반쪽 얼굴만이 겨우 비춰질 뿐이다. 이 역시 한 신문사의 회장으로서의 위치를 온전하게 인정받지 못하는 케이를 잘 설명해 준다. 이사들의 거침없는 공격적인 발언에 케이는 그들을 설득하려

고 준비해온 '기사의 수준이 수익을 결정한다.'는 메모를 계속 바라본다. 하지만 망설이며 발표를 주저하는 순간, 옆에 앉아 있던 케이의 측근 프리츠가 케이가 들고 있는 메모를 보고 이사진에게 케이 대신 설득한다. 이때, 처음으로 카메라는 복잡한 감정을 갖고 있는 케이의 얼굴 정면을 클로즈 업 한다.

다시 댄 엘스버그

베트남 전쟁에 직접 참전하여 보고서를 썼던 댄은 사실을 알리고자 1급 기밀 보고서를 빼돌려서 〈뉴욕타임즈〉에 제보한다. 보고서에 따르면 트루만, 아이젠하워, 케네디, 존슨 그리고 닉슨의 미국 행정부가 베트남 정세를 오판하고 왜곡하여 전쟁을 일으켰고 또한 전쟁의 승산이 없는 걸 알면서도 미국

젊은이들의 희생을 강요하고 있다는 내용이다. 〈뉴욕타임즈〉는 이 보고서를 인용해 기사를 터뜨리지만 행정부의 법적 조치로 인해 후속 기사를 더이상 싣지 못하고 있다. 이 때 〈워싱턴 포스트〉 기자인 백 디키언은 수소문 끝에 옛 동료 댄을 찾아 4천 페이지 분량의 보고서를 확보하고 곧바로 편집국장인 밴 브레들리의 집으로 향한다.

케이의 고민과 선택

밴 브래들리(톰 행크스 분) 편집장 집에서 보고서를 정리하며 기사를 쓰는 기자들. 신문에 실릴 수 있을지 모르는 상황에서 밴이 직접 진두지휘하여 다음날 신문의 헤드라인 기사를 준비한다. 모든 것이 준비된 상황에서 밴은 케이

를 찾아가 마지막 결단을 요구한다. 케이는 고민을 하게 된다. 신문사 사주로서 당연히 언론의 자유를 위해 옳은 선택을 내리는 것이 상식적이라고 하지만 결정은 쉽지 않다. 이미 〈뉴욕타임스〉도 법적 조치로 인해 더 이상의 기사를 못 내는 상황이고, 자칫 기사를 냈다가는 법원모독죄로 감옥에 갈 수 있는 상황. 고민하던 중에 딸과 대화하면서 "여자가 설교를 하면 뒷다리로 개가 걷는 것과 같다."라는 이야기를 듣고 자랐다고 얘기하는 케이.

케이가 집에서 편집국장 밴과 전화 통화를 하는 씬이 있다. 통화 하는 동안 당시 케이 집에 와 있던 회사 이사들은 둘의 통화 내용을 당당하게 엿듣는다. 통화내용을 알게된 그들은 오히려 케이에게 기사를 내지 말라고 노골적인 압력을 가한다. 케이는 법정 구속의 압력과 주식 매각이 물거품이 될 위기에 처하게 된다. 하지만 케이는 〈워싱턴 포스트〉의 가치인 '국가의 안녕을 지킨다', '뛰어난 기사를 찾아 보도한다' 그리고 '자유언론의 원칙을 준수한다'라는 신문사의 강령을 이야기하면서 자신의 뜻이 확고해졌음을 천명한다. 이 확고한 케이의 믿음 앞에 이사들은 거세게 반대하지만 케이의 고집을 꺽을 수 없었다. 그리고, 케이는 단호히 이야기한다. "여기는 더 이상 내 아버지의 혹은 내 남편의 회사가 아니에요." 케이는 이렇게 역사의 물줄기를 바꾸는 위대한 선택을 한다.

활자 윤전기

케이가 결정을 내리고 난 후, 영화의 클라이막스에 등장하는 중요한 캐릭터는 사람이 아니다. 지금은 사라진 활자 윤전기를 영화가 다시 부활시켰다. 일일이 사람의 손으로 알파벳 한자 한자를 식자하고 신문의 조판을 짜놓은 상태에서 모든 준비를 마친 인쇄소 직원들. 마감 시간에 인쇄를 시작해야 새벽에 신문 배달이 시작되지만 신문 인쇄의 최종 결정은 아직 내려지지 않았다. 초초하게 기다리던 모두에게 드디어 케이의 결정이 전해진다. 웅웅거리는 윤전기 소리와 함께 모든 직원이 열심히 일하는 인쇄의 프로세스가 몽타쥬로 보여진다. 이 소리와 진동은 신문사 건물 전체를 휘감으며 보고서를 입수했던 백 키디언 기자의 타자기를 흔든다.

마침내 기사는 수만 부의 신문으로 만들어지고 새벽 배달트럭에 실린다. 실로 '펜은 칼보다 강하다.'라는 평범한 진리를 스필버그 감독은 영상으로 깨우치게 해준다.

김 동 환 _ whatamovie@naver.com
중앙대학교 문예창작학과 겸임교수, 영화 프로듀서

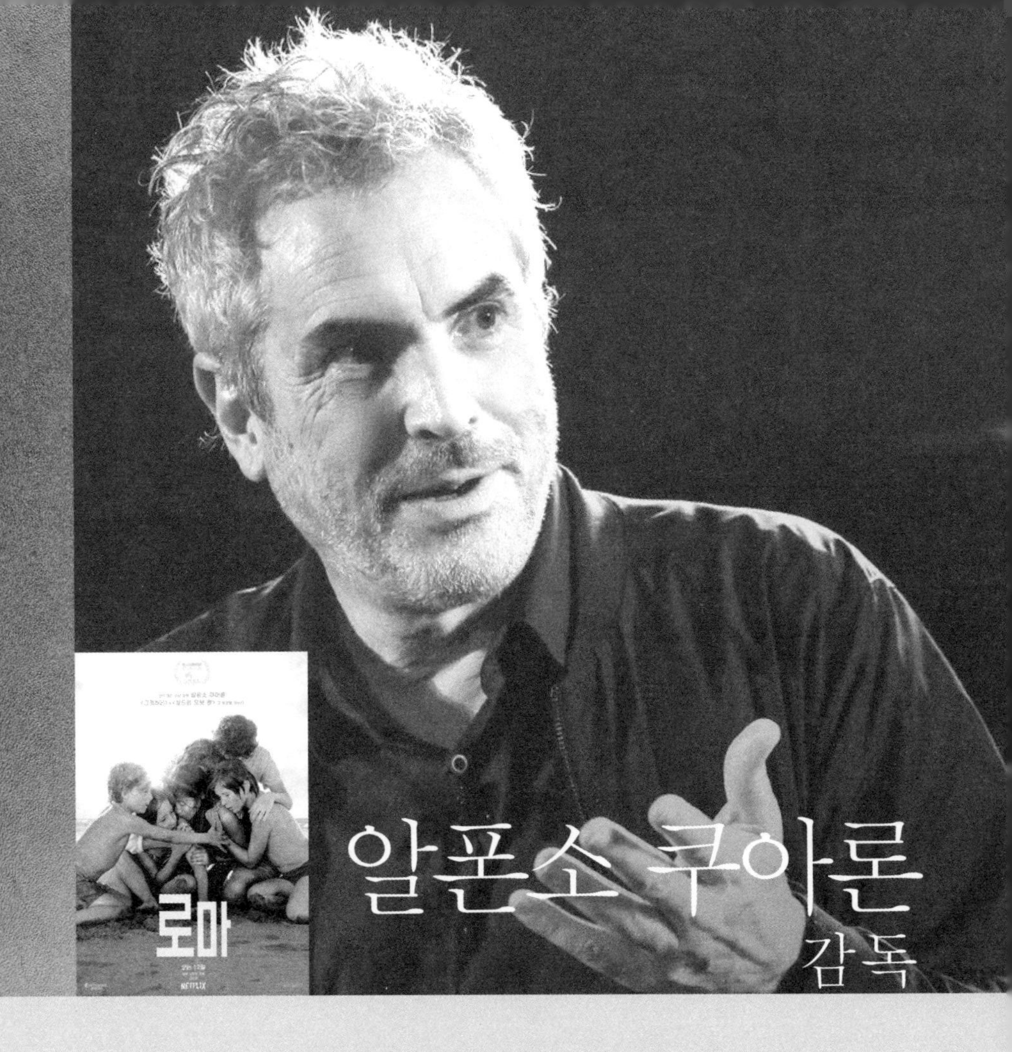

알폰소 쿠아론 감독

로마

감독 알폰소 쿠아론
출연 얄리차 아파리시오, 마리나 데타비라
각본 알폰소 쿠아론
제작 알폰소 쿠아론
기획 조나단 킹, 데이빗 린드, 제프 스콜
촬영 알폰소 쿠아론
음향 세르지오 디아즈
편집 알폰소 쿠아론

개인사와 사회사는 이렇게 접합할 수 있다.
시대적 공기, 유년기 기억과 영화적 표현력의 완벽한 앙상블.
감독의 애수어린 회고가
단순히 감상적 색채로 끝나는 것이 아니라
70년대 멕시코에서 살아남은 하층민, 여성,
노동의 가치를 섬세하게 보여줬다는 점에서 의미 있었다.
나쓰메 소세키의 도련님, 허안화의 심플 라이프와 함께
잊혀지지 않는 하녀, 아니 인간.
수평미학의 완성.
"모든 쇼트가 예술이다.

— 추천위원의 선정이유 中

도련님의 헌사, 〈로마〉

— 알폰소 쿠아론 감독 〈로마〉

신귀백(영화평론가)

넷플릭스가 투자·제작한 〈로마〉는 사해동포 서비스 회사다운 주제를 다룬다. 세계 최대의 인터넷 스트리밍 기업에서 계급이 가지는 증오심을 비껴갈 것은 자명한 일. 일단 하녀 이야기라면 있을 법한 금반지와 억울한 누명, 주인아저씨의 짐승성 같은 클리셰가 없다. 탐욕과 이기심 내지 적개심에 대한 우의도 적다. 권세가 우정을 침범하지 않는다. 섬뜩한 눈빛과 저주의 언어들이 없다. 가난한 자가 글을 깨우치고 세계에 눈뜨는 계몽성도 버린다.

쿠아론이 전하는 것은 새로운 가치관이 아니다. 우정에 대한 답례다. 잠잘 때 자장가를 불러 준 유모에 대한, 친구들이 오면 한 상 걸게 차려주던 나쓰메 소세키의 「도련님」에 나오는 기요할멈에 대한, 허안화의 〈심플 라이프〉의 늙어 요양원에 가는 집사 아타오에 대한, 그러한 관계에 대해 계급성을 덮는 실천이다.

인본주의

〈로마〉는 감독의 꼬맹이 시절 자전적 이야기를 반영한 작품이라 한다. 1970년대 초 멕시코, '로마'는 구역명으로 중산층 동네다. 여기 할머니와 엄마 등 여자와 어린이로만 구성된 가족에 두 명의 식모(가정부라 말하지 않는 것을 이해하시라)가 있다. 광대뼈에 펑퍼짐한 얼굴의 인디오계 아가씨는 개똥을 치운다. 칼 가는 아저씨의 피리 소리로 시작하는 아침, 빨래하고 개똥을 치우는 클레오(얄리차 아파리시오)의 시선을 따라 이야기는 흘러간다.

주물주물 빨래를 널고 학교에서 아이들을 하학시킨다. 저녁에는 동료와 스트레칭을 하면서 개똥 치우라며 짜증 내던 쥔아줌마 소피에 대한 뒷담화를 한다. 휴일에는 동료 하녀 아델라와 시내에 나가 콜라에 햄버거를 먹고 극장에 간다. 수다 뒤에는 남자친구 페르민과 데이트다. 쌍절곤을 바지 뒤에 꽂고 다니는 건달은 친구에게 돈을 빌려 공원에 가자며 모텔에 간다. 남자는 샤워커튼 봉을 뜯어서 일본 무사처럼 인사를 한 후 무술연습을 보여준다. 놈의 덜렁거리는 물건은 드러내되 식모의 벗은 모습은 보여주지 않는다.

그런데 화장실 다녀온다던 애인은 점퍼를 놓고 가선 다시 돌아오지 않는다. "페르민은 사라졌어요. 저를 해고하실 건가요?" 주인의 결정에 달린 인간의 존엄. 이 존엄은 어디까지 갈 것인가? 하녀에겐 고용이 먼저인데, 의사는 언제, 몇 명이랑 했냐가 중요한데, 쥔아줌마는 묻지도 따지지도 않는다. "병원 가자, 아줌마가 알아서 할게"라는 클리셰를 배신한다. 비극의 핵심은 인본주의다.

포장되지 않은 저개발 동네에 울려 퍼지는 선거홍보의 소음 속 남자를 찾아 나서는 길에 동네 서커스가 진행된다. 서커스와 다름없는 선거운동을 지나니 시위진압대의 대나무 목검 시범이 벌어진다. 애써 찾아간 남자애는 "임신이 나랑 무슨 상관이냐, 미친 하녀 같으니"라는 말 뒤, 이어지는 흐느끼는 소리. 그러나 화면전환 속 울음의 주인은 백인 중산층 여성 소피다.

마르지 않는 빨래 같은 마음으로 개똥 같은 마음으로 출산을 기다린다. 아니 다가온다. 한때 사랑이라 믿었던 남자가 사복경찰이 되어 학생들에게 총질을 한다. 시위의 난리 속 백골단이 사람을 죽일 때 양수가 터지고, "심장소리가 안 들려요" 신생아기에게 심장 충격 장면, CPR반응 중단. "그래도 아기를 안아 볼래요? 여자 아이에요" 하얀 천에 둘둘 말리는 사산 태아를 흑백으로 지켜봐야 하는 지점은 클레오나 보는 관객으로서도 다행이다.

칼갈이 아저씨의 피리 소리와 개 짖는 소리와 함께 돌아온 일상. 이제 막 남편과 갈라선 소피는 비통을 내색하지 않는 클레오에게 바닷가 가족여행을 제안한다. 이어 펼쳐지는 압도적인 바닷가 크레인 샷 롱테이크 장면. 사랑에는 소극적이고 어리석지만 식구들과의 우정과 위험에는 적극적인 클레오. 수영을 못하는 것보다는 아이가 우선이다. 생명을 찾아 뛰는 책임감을 넘어

선 무한사랑이다. 내가 노래해서 재우고 입힌 아이인데. 파도를 향해 결연히 들어가는 소녀의 바다는 눈부시게 애틋하다. 그리고 원신 원컷을 장식하는 가족들 등 뒤로 부서지는 햇살.

집에 돌아와 옷으로 송수화기를 닦던 하녀는 빨래 더미를 안고 옥상 계단을 오른다. 그때 비행기가 서서히 지나간다.

그들 각자의 영화관

〈로마〉는 알폰소 쿠아론이 직접 카메라를 든 영화라 한다. 달리와 크레인 도중의 줌샷 등 칭찬이 자자하다. 넓은 1층 거실 하나하나 전깃불을 끄고 식모방으로 돌아와 물을 마시는 것으로 요약되는 360도 패닝 숏, 무빙 롱테이크와 카메라 워킹에만 몰두하는 리뷰들은 이 영화가 가지는 휴머니티를 조명하는 데 방해가 된다(어쩌랴). 묘하게도 주인 중년 남자의 자동차 주차 장면만큼은 클로즈업을 사용한다. 같잖은 운전 솜씨를 자랑하는 남자들에 대한 제유이리라. 파킹 좀 하는 이 남자는 책은 놓고 책장을 가져간다.

컬러필름이었다면, 상상이 줄었으리라. 시위와 출산의 장면 등이 몰입에 방해할 수 있을 테니. 천연색감이 너무 많은 정보를 주거나 인지하는 피곤함 그리고 흑백사진의 하얀 테두리가 주는 아우라도 그렇지만, 사실 클레오의 시선으로 바라보이는 세상은 모두 무채색으로 보일지도 모르니까 말이다. 컬러였다면, 클레오가 고갱의 그림에 등장하는 꽃을 든 원주민 여자로 보일지도 모를 일.

바닷가 사건 이후 돌아오는 자동차 좌석 안에서 식모 아가씨도 한 소년도 창밖을 오래 응시하던 장면이 나온다. 극 중 소년의 시선이 제일 잘 드러내는 부분이니 그가 쿠아론(혹은 카메라의 시선)이라 해 두자. 아빠의 외도와 70년 월드컵, 선거와 폭력시위로 정신없이 지나간 시간 속 소년에게 기억에 선명

하게 남는 것은 식모누나와의 극장행이다. 여기서 감독의 속마음이 읽힌다.

"다만, 제가 만든 〈그래비티〉의 아름다움은 클레오 누나와 같이 간 극장에서 본 장면의 연장일 뿐이에요" 하는 감사와 헌사다. 우주인을 담은 화면에 심취해 있다가 둔중하게 열리던 극장문을 나서면 확 밝아지던 그 이상한 느낌에 대해 쿠아론은 관객들에게 동의를 구한다. 어둠의 신전에서 나와 밝은 극장 밖의 인형팔이나 노점상의 풍경들이 기시적이면서도 생소하지 않던가 고. 마치 낮잠을 자다 깨어 학교에 갈 시간일지 모른다고 울먹였던 유년의 시간들처럼…….

파도에 휩쓸린 소년 중 하나가 쿠아론일 것이다. 그 구원에 호들갑스러운 감사 대신 최고의 장면을 선물하는 것. 당장의 땡큐가 아닌 그 고마움을 수

십 년 간직한 채 세상 사람에게 돌려주는 미덕을 견지한다. 순간에 피운 꽃이 아닌 시간이 맺게 한 열매는 견고하고 침착하다.

나쓰메 소세키의 「도련님」과 허안화의 〈심플 라이프〉

〈로마〉의 차별성은 소년의 가슴을 달구던 열혈이나 부끄러움을 다루지 않는 것. 다만 은근할 뿐. 영화 속 주인의 취향을 나타내는 소품으로만 등장하는 불상의 존재가 그런 메시지는 아닐는지. 그래, 이 사랑은 희귀한 것만은 아니다. 하여, 소세키가 「도련님」이라는 소설로 쓰고, 허안화 감독이 영화로 만들지 않았던가. 근성과 충돌만이 성장의 조건이 아님을 넌지시 깨닫지만 그 고집을 버리지 않는 '봇짱'은 섬에서 늙은 하녀에게 편지를 쓴다. 편짓글 속 허세와 '가오'가 봇짱을 조건 없이 사랑해 주는 기요 할멈에게 보답하는 사랑의 방식이니까.

도련님같이 잘 생긴 배우 유덕화가 등장하는 〈심플 라이프(桃姐), 2012〉에서는 성공한 영화제작자가 늘그막의 하녀에게 인간의 도리를 다한다. 생선요리에 관한 도련님의 취향을 사랑해주던 헌신적인 하녀가 중풍으로 쓰러졌으니. 4대에 걸쳐 헌신한 할멈에게 의무가 아닌 위무를 통해 부담스럽지 않게 인간의 빚을 갚는 시선은 안온하다.

유모의 사랑 속 물에 빠졌던 소년이 자라면 '도련님'이 될 것이고 더 나이를 먹으면 '유덕화'가 되는 과정은 사적이거나 지역적인 이야기만은 아니다. 〈로마〉의 쿠아론에게도 올곧고 바른 성품으로 날뛰던 '봇짱'의 시절이 있었을 터. 쿠아론은 유덕화의 구체적 선행이 아닌 수십 년 세월이 흐른 뒤 편지나 회고록 대신 영화 한 편으로 그가 받은 애정과 온유에 사랑과 존경을 표한다(위트와 유머는 부족하지만). 어린 시절을 꾸며준 사람이 부모 말고도 유모나 식모가 있는 사람은 더 많은 보석을 가진 사람일 터. 그것이 기성품의 행복이 아니라는 것까지도…….

덧: 봇짱도 유덕화도 아니지만, 같이 극장에 가던 정순이 누나를 마음속으로만 불러본다, 노스텔지어와 죄의식을 동반해서. 봉순이 언니나 몽실언니는 아니지만, 무대접으로 기억되는 클레오가 보고 싶다. 부엌에 연결된 식모 방에서 겨우내 뜨던 메주 냄새와 더불어 제목을 알 수 없는 흑백영화와 이리극장 쇼 무대 위에서 목을 다듬던 가수 배호의 기침 소리가 오래도록 따라온다.

신 귀 백 _ butgood@hanmail.net

영화평론가. 장편 다큐멘터리 〈미안해, 전해줘〉 연출. 영화평론집 『영화사용법』, 지역인문서 『전주편애』를 펴냈다.

아니쉬 차간티 감독

서치

감독 아니쉬 차간티
출연 존 조, 데브라 메싱
각본 아니쉬 차간티, 세브 오해니언
제작 티무르 베크맘베토브
기획 애나 라이자 무라비나
촬영 후안 세바스찬 바론
음악 토린 보로데일
편집 니콜라스 D. 존슨

구글과 SNS 속에 살고 있는데, 그걸 놓치지 않는.
새로운 영화서사.
새로운 시대, 새로운 미디어, 새로운 영화형식.
100% 모니터속 화면으로 구성한 미션임파서블 형식
그리고 신선함.
이 시대 영화가 보여줄 수 있는 형식 실험의 최전방.
사건을 파헤치는 주인공 아버지의 모습이 현실적이어서
공감과 몰입이 감정이입이 잘 이루어졌다.

— 추천위원의 선정이유 中

상실의 시대, 우리는 무엇을 찾고 있을까

— 아니쉬 차간티 감독, **〈서치〉**

김민정(드라마평론가, 중앙대 교수)

좋은 영화는 없다. 절대적인 무엇이 있다는 것 자체가 촌스럽고 구식인 세상이지 않은가. 니체가 신의 죽음을, 가라타니 고진이 근대문학의 종언을, 게오르그 루카치가 밤하늘 별의 실종을 고백한 상황에서 우리에게 남은 것은, 모든 것의 상실을 목격한 우리 자신뿐이다. 내가 좋아하는 영화가 바로 좋은 영화다. 타인의 의견은 내가 아닌 누군가의 취향일 뿐, 내 생각에 덤으로 덧붙여진 댓글과 같다. 세상은 내가 좋아하는 영화와 내가 좋아하지 않는 영화로 구분된다. 그렇게 '세상에서 가장 좋은 영화'는 탄생한다.

작품성과 오락성, 흥행까지 모두 이루어낸 영화 〈서치〉는 누가 봐도 좋은 영화임이 틀림없다. 실종된 딸을 찾는 아버지의 고군분투를 다룬 이 영화는 오직 디지털 기기의 스크린을 통해서만 이야기가 전개되는 독특한 형식실험과 스릴러 특유의 긴장감 넘치는 반전 서사로 주목받았다. 또한, 백인 배우들의 전유물이었던 평범한 중산층 가정의 아버지 역할에 한국계 미국 배우

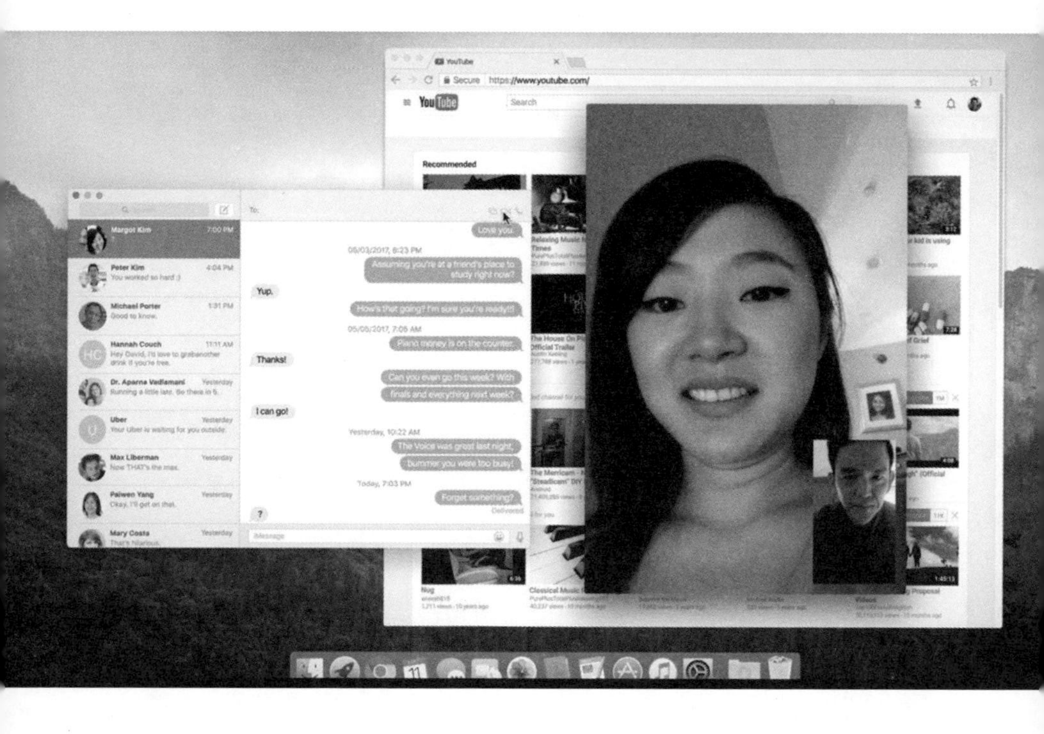

존 조가 캐스팅되고, 서양인들의 편견에 의해 왜곡되지 않는 능동적인 인물상을 보여주었다는 점에서 유의미한 성과를 이루어냈다. 무엇보다 28살 젊은 감독의 장편 데뷔작이라는 점에서 관객의 마음은 설렘으로 가득 찼는데, 앞으로 그가 보여줄 새로운 작품에 대한 높은 기대 덕분이었다.

하마터면 깜박 속을 뻔했다. 〈서치〉를 보기 전 너무 많은 이야기를 들어서 정말 그냥 '좋은' 영화인 줄 알았다. 하지만 〈서치〉는 남들이 말하는 그런 영화가 아니었다. 그는 딸을 향한 아버지의 사랑을 강요하지도 않았고 디지털 기기로 전달되는 아날로그적 온기에 집착하지도 않았다. 그는 한결같이 차분했는데 온탕과 냉탕에 한발씩 걸치고 있는 사람처럼 팽팽한 긴장감이 감돌았다. 그러니까 〈서치〉는 그렇고 그런 재미없는 모범생이 아니었다.

좋은 영화란 자고로 정해진 답이 없는 법. 관객에게 질문을 던지는 의문형으로 끝나기 마련이다. 좁은 시야로 〈서치〉를 구속하지 않는다면 그는 우리의 가난한 상상력을 뛰어넘어 훨씬 매력적인 작품으로 거듭 태어날 것이다. '세상에서 가장 좋은 영화'를 만드는 건 영화감독이 아니라 관객이니까.

왜 아버지인가

새로운 형식의 스릴러로서 〈서치〉는 두 가지 측면에서 긴장감을 조성해낸다. 첫째는 반전에 반전을 거듭하는 사건 속에서 아버지가 과연 딸을 찾아낼 수 있을까, 하는 것이고 둘째는 과연 감독이 화면 구성에 있어 제한적인 카메라 시점의 한계를 극복하고 끝까지 형식실험에 성공할 수 있을까, 하는 것이다. 잘 알려진 바와 같이 우여곡절 끝에 아버지는 잃어버린 딸과 반갑게 재회하고, 영화는 끝날 때까지 단 한 번도 디지털 매체의 프레임 안에서 벗어나지 않는다. 극적 긴장감을 견지하는 데 내용과 형식의 유기적 결합이 전제되었음은 지극히 당연한 일이다. 하지만 그게 결코 쉬운 일은 아니다. 영화는 배우의 얼굴이 아닌 컴퓨터 화면만을 비추면서도 감정 표현을 절대 놓치지 않는다. 마우스 커서가 깜빡이고 메시지를 썼다가 고치는 장면은 우리가 보았던 그 어떤 영화의 명장면보다 오랜 여운을 남긴다.

그런데 여기서 잠깐. 왜 하필 SNS일까. 왜 노트북, 휴대폰, 그리고 집안에 설치한 CCTV일까. 그러니까 언제부터 평범한 아버지가 뛰어난 수사관이 된 것일까. 범죄를 해결하는 것은 원래 경찰이나 검사의 역할이 아니었던가. 영화를 보는 내내 평범한 사람이 왜 스릴러의 주인공을 맡게 된 것일까, 하는 의구심이 드는 것이다. 추적의 긴장감은 바로 그 지점에서 비롯된다.

국가와 정부가 나와 내 가족을 지키지 못한다는 공포와 불안. 영화 〈서치〉 속 주인공의 놀라운 IT 활용능력과 추리능력 이면에는 공권력에 대한 불신과 실망이 숨어 있다. 경찰은 물론이고 자신의 동생까지 믿을 수 없는 상황에서 그가 의지할 수 있는 것은 오로지 자기 자신뿐이다. 영화 초반에 아버지와 딸의 일상적인 관계를 이어주던 디지털 기기가 점점 추리와 스릴러의 도구로 사용되고, 사소한 단서에도 주인공이 과도한 집착과 과잉된 폭력을 보이는 것은 모두 그 때문이다. 지극히 일상적인 삶을 영위하던 그는 그렇게 가정 밖으로 위태롭게 내몰린다.

왜 어머니인가

스릴러 장르임에도 불구하고 〈서치〉는 관객들에게 깊은 감동을 준 영화로 알려져 있다. 엄마의 죽음 이후 조금씩 멀어져 버린 아버지와 딸, 그들의 관계가 실종이라는 비극적 사건을 계기로 서로를 향한 사랑을 확인하고 가족애를 회복하기 때문이다. 그런데 여기서 잠깐. 가족애의 회복을 이야기하는 영화라면 왜 범죄를 저지른 범인과 범행을 은폐하려던 그 경찰은 모자지간으로 설정된 것일까.

부성애나 가족애가 영화의 주제라면 그것을 극대화하기 위해 범인 캐릭터를 훨씬 더 강력하게 구축했어야 했다. 가령, 거대한 배후세력을 가진 조직원이나 피눈물도 없는 사이코패스로. 동일한 소재를 다룬 영화 〈테이큰〉에서 전직 특수요원 출신인 아버지의 화려한 액션씬이 자주 등장하는 데에는 그만한 이유가 있다. 잃어버린 딸을 찾는 아버지의 고군분투가 강조될수록 영화가 끝난 후 관객들이 느끼는 카타르시스와 감동이 커지기 때문이다.

그런데 〈서치〉는 엄마의 보호 아래 있는 나약한 아들을 범죄자로 내세운다. 심지어 그 범행은 오랫동안 짝사랑해온 여자의 마음을 얻기 위한 소심한 남자의 실수에 의한 것이다. 차가운 교도소에 혼자 있기에는 너무나 불안한 아들을 위해 엄마는 경찰이란 신분을 활용해 범죄를 은폐한다. 직업적 소명이나 제 안위 따위는 다 팽개치고 오직 아들을 위한 희생이었다. 잘못된 것

일지라도 그건 분명 아들을 위한 어머니의 사랑이었다. 하지만 그녀의 행동은 이해도 용서도 받지 못한다. 우수 경찰로서 명예로운 삶을 영위하던 그녀는 그렇게 일상 밖으로 거칠게 추방당한다.

왜 찾는가

영화의 모든 사건은 가족을 향한 사랑에서 비롯된다. 잃어버린 딸을 찾으려는 아빠와 아들을 잃지 않으려는 엄마. 그들의 부성애와 모성애가 영화를 이끌고 나간다. 하지만 부성애와 달리 모성애가 실패로 끝남으로써 가족애는 미완으로 마무리된다.

여기에서 우리가 주목할 것은 결과가 아니라 '과정'이다. 영화에서 'search'는 매우 중요한 키워드로 작용한다. 'search'를 계속할수록 숨은 진실이 계속 밝혀지는데, 첫째는 어머니를 잃은 딸아이의 슬픔이고, 둘째는 아들을 잃지

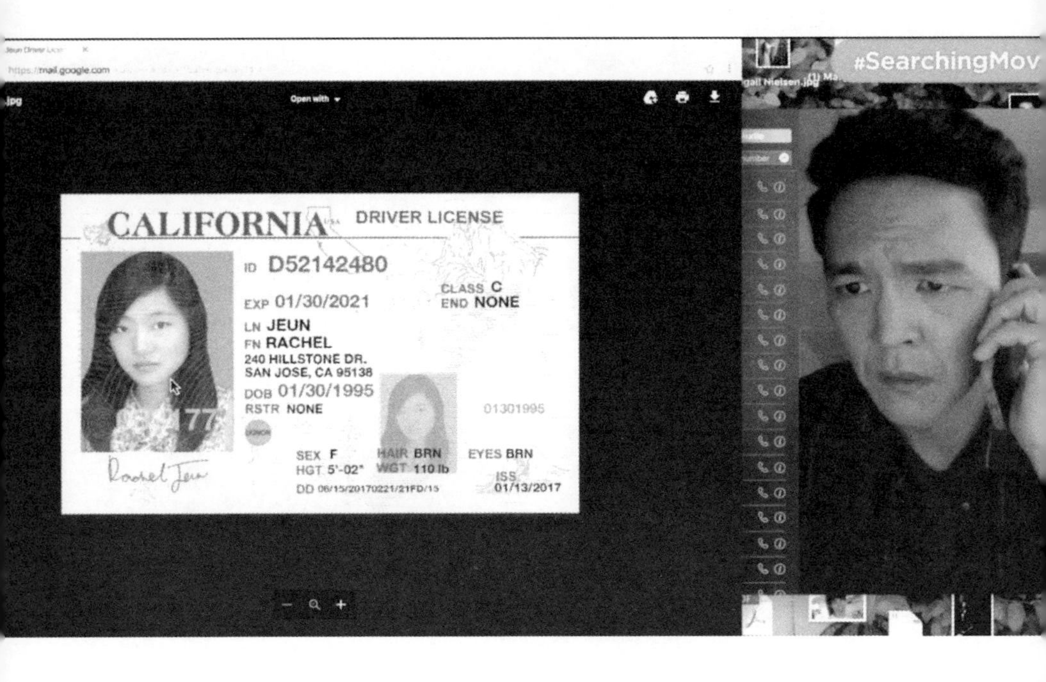

않으려는 어머니의 두려움이다. '상실'이라는 공통된 사건을 대하는 서로 다른 자세이지만 그 사건을 있는 그대로 직시하지 못했다는 점에서는 동일하다. 어머니의 죽음에 대해 딸은 아버지와 충분히 마음을 나누지 못했고 아들의 실수에 대해 어머니는 아들과 충분히 이야기를 나누지 못했다. 그들은 오로지 상실을 은폐하고 망각하는 일에만 내몰렸다. 그것을 있는 그대로 인정하고 수용하는, 애도의 시간을 갖지 못한 것이다.

잃은 것이 무엇인지 제대로 알 때 우리는 비로소 그것을 찾을 수 있다. 영화는 어머니의 죽음, 딸의 실종, 아들의 살인, 경찰의 범죄은폐, 친구의 거짓 우정 등 우리가 당연히 여겨왔던 모든 것들을 상실의 대상에 올려놓음으로써 과연 우리가 진정으로 찾아야 하는 것이 무엇인지 묻는다. 저 멀리 미국에서 만들어진 영화임에도 '지금 여기 우리'의 현실로 느껴지는 것은 그 때문이다. 세월호, 청년실업, 난민, 묻지마살인 등 우리는 여러 사건을 겪으면서

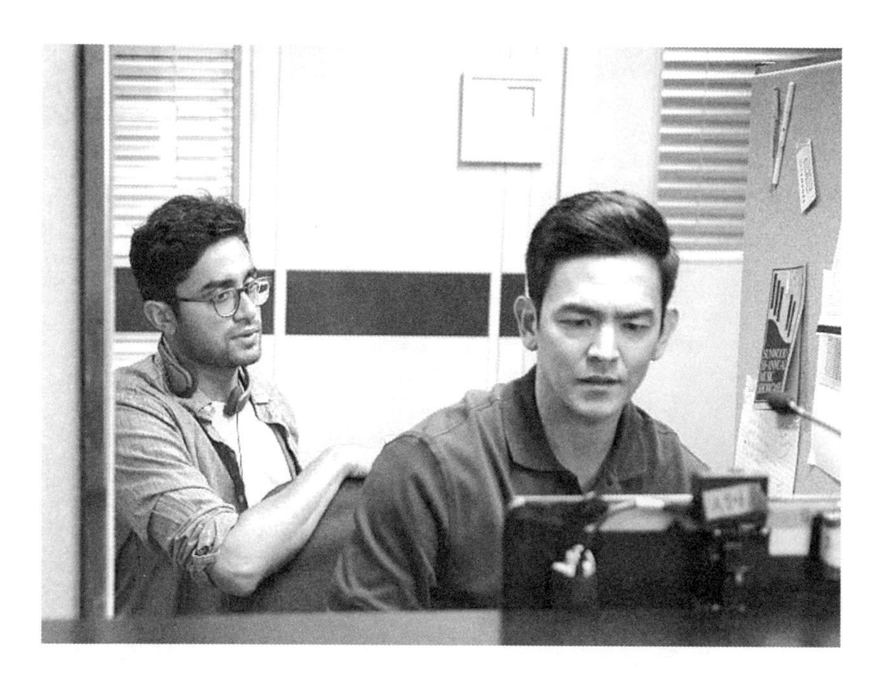

믿음과 희망과 꿈을 상실했다. 그동안 우리를 지탱해왔던 가치이자 우리가 사는 세상의 질서였던 것들이다.

카오스의 상황에서 우리가 해야 하는 일은 과연 무엇일까. 그것은 은폐나 망각이 아니다. 상실에 대한 애도, 즉 있는 그대로 그것을 인정하고 수용하는 것이다. 영화는 부성애 혹은 모성애, 그 무엇도 절대적인 선에 올려놓고 당위성을 주장하지 않는다. 위선이나 위악으로 관객을 기만하지도 않는다. 그저 우리가 무엇을 잃어버렸는지 침착하게 질문하고 상실의 좌표 위에 오롯이 서 있는 우리 자신을 성찰하게 한다. 우리가 찾고 있는 것은 이미 우리 안에 있다.

김 민 정 _ reise81@hanmail.net
이화여자대학교 언론홍보영상학부를 졸업, 중앙대학교 문학박사. 현재 중앙대에서 스토리텔링콘텐츠 강의를 하고 있으며, 저서로 드라마 인문교양서 『당신의 삶은 어떤 드라마인가요』, 소설집 『홍보용 소설』, 이 사람 시리즈 『한현민의 블랙 스웨그』 등이 있다.

기예르모 델 토로 감독

셰이프 오브 워터

감독 기예르모 델 토로
출연 샐리 호킨스, 마이클 섀넌
각본 바네사 테일리, 기예르모 델 토로
제작 기예르모 델 토로
기획 리즈 세이어
촬영 댄 로스츠센
음악 알렉상드르 데스플라
음향 크리스탄 T. 쿡
편집 시드니 울린스키

이런 판타지도 가능하다.
특유의 판타지라는 외연은 동화 속 낭만적 사랑이야기처럼 보이지만 인간이라는 종을 넘어서서 시대와 육체적 불구에 맞서서도 가능한 사랑을 묻고 있다는 점에서 전위적인 성격을 드러낸다.
글로벌 시대 사랑의 교과서.
사랑이라는 진부한 소재를 무한 상상력으로 극화하다.
사랑한다면 그들처럼!
괴물의 순정을 감독의 연출과 빼어난 영화미술로 승화시키다.
기묘하고 아름다운 사랑의 판타지.
비현실적이지만, 괴생명체만 이해하고 본다면 감독적이었다.
그럴 수도….

— 추천위원의 선정이유 中

각기 다른 것들의 가치를 드러낸 '사랑이야기'

— **기예르모 델 토로** 감독 **〈셰이프 오브 워터〉**

강유정(영화평론가, 강남대 교수)

사랑에도 모양이 있을까? 간혹 외국 영화의 제목이 한국어로 바뀔 때 의아한 순간들이 있는데, 〈셰이프 오브 워터〉가 〈사랑의 모양〉으로 해석된 것도 그 중의 하나이다. 굳이 따지자면 물의 모양 정도가 될 터인데, 굳이 사랑의 모양이라고 덧붙인 것을 보니, 이것은 사랑이야기라는 것을 무척이나 강조하고 싶었던 모양이다. 기괴한 괴물이 등장하는 크리처물이나 판타지로 보기보다, 로맨스로 영화를 읽어주세요라는 간절한 바람이기도 한 것이다. 이는 〈셰이프 오브 워터〉가 크리처물이나 S.F 혹은 판타지로 읽힐 여지가 많다는 것을 보여주기도 한다.

하지만, 이 영화를 만든 이가 기예르모 델 토로 감독이라는 사실을 알게 된다면 그리고 기예르모 델 토로의 영화를 한 편이라도 본 사람이라면, 이 모든 이종교배적 설정이 전혀 이상하거나 특별한 것이 아님을 이해하게 된다. 기예르모 델 토로는 함께 공존할 수 없는 상상과 현실을 하나의 에피스

테메 위에 올리고, 불가능한 역설과 가능한 진실을 함께 다루는 작가로 워낙 정평이 나 있으니까. 그에게 이 세상은 잔혹하지만 그렇기 때문에 더욱 아름다운 곳이며, 그 잔혹한 아름다움이라는 역설 가운데서 삶의 진짜 의미 즉, 아이러니가 피어나는 곳이기 때문이다.

이런 맥락에서, 〈셰이프 오브 워터〉는 그 기괴하고 아름다운 세계의 어떤 정점을 보여주는 작품이다. 가장 기예르모 델 토로 작품다우면서 한편으로 관능적이며 에로틱한 영화. 만약 에로스가 자기 안에 갇혀 세상과 단절된 상태의 반대말이라면 그러므로 다른 세상을 향해 나를 활짝 여는 것에 대한 지칭이라면 〈셰이프 오브 워터〉는 그야말로 매우 관능적이며 에로틱한 작품이라고 말할 수 있다.

기예르모 델 토로의 세계는 아름답고 기괴하다. 그로테스크가 기괴한 아름다움을 가리킨다면, 기예르모 델 토로의 세계가 바로 그 단어의 정의항에서 있을 법 하다. 〈판의 미로〉나 〈헬 보이〉 같은 세상을 보자면, 우리가 상상력의 전부라 믿었던 매끈하고, 유아적인 세계와 단숨에 결별하게 된다. 그렇지, 상상 속의 세상이 언제나 도자기처럼 차갑고 부드러운 피부를 가진 피조물들의 공간은 아니었지, 때로는 비늘과 털이 무성한 괴수가 살아 있는 곳, 그곳이 바로 상상 속이었지, 하고 말이다.

〈셰이프 오브 워터: 사랑의 모양〉은 그런 점에서 기예르모 델 토로의 세계를 고스란히 보여주면서도 한편으로 그 세계 속의 간절한 소망을 전달해 주는 작품이다. 무엇보다, 이 영화는 로맨스이고, 살아 생전 한 번 쯤 해볼까

말까 한 세기의 사랑에 대한 이야기이다.

시대의 모양

〈셰이프 오브 워터〉에서 가장 눈길을 끄는 것은 바로 시대적 배경이다. 냉전이 한참이던 1960년대, 소련과 미국 중 누가 먼저 달에 사람을 보낼 것인가에 몰두하던 시절이다. 세계대전이 끝나고 그 결과로 경제적 혜택과 폭발적인 영향력 확장을 맛보았던 두 나라, 어떤 점에서 미국에게 있어 그때야말로 최고였던 시절이다. 자유민주주의 세계의 대표를 자임하며 가장 앞선 과학적 기술과 그것이 암시하는 강력한 미래를 가진 나라였으니 말이다.

한편 1960년대는 미국 문화의 주축이었던, 영화가 점점 대중과 멀어지던 시기이기도 하다. 텔레비전이 각자의 집을 공략하면서 사람들은 극장을 멀리하기 시작했다. 텔레비전이 바보상자라고 불리기 시작한 때이기도 하다. 누구도 굳이, 발걸음을 옮겨, 극장에 가지 않았다.

주인공 엘리사가 사는 집 밑의 대형 극장에 늘 파리가 날리는 이유도 마찬가지이다. 이제 극장은 추억을 되씹기 위해 찾아오는 노인들의 휴식처가 되고 말았다. 엘리사의 가장 친한 친구이자 의지처인 옆집 남자 자일스가 세상의 중심에서 밀려나는 맥락도 유사하다. 이제는 사람들이 사진을 찍지 예전처럼 그림을 구매하지 않는다. 상업 광고용 그림을 그리던 자일스는 그렇게 천천히 중심에서 밀려났다.

영화의 인물들은 이렇게 가장 1960년대 다우면서 한편 1960년대라는 새로움과는 거리를 둔 인물들이다. 조금은 지나간 것들에 매달려 살아가던, 고집스럽고 조금은 미련한 사람들, 새로운 것, 과학, 기술에 넋이 나가 있던 그 때, 그리고 그러한 것들이 소중한 가치를 모두 대변하던 시대, 엘리사가 주인공이 될 수 있었던 이유도 여기에 있다. 엘리사에게 소중한 것은 다만 감각적인 것만이 아니기 때문이다.

영화 속 1960년대는 음악감독 알렉상드르 플랑드르가 선택한 고전적 재즈 음악들과 함께 고즈넉하게 흘러간다. 돈과 기술이 넘쳐났다고 해서 1960년대가 천국은 아니다. 공공연히 차별과 폭력이 일어나던 곳, 흑인에 대한 차별, 성소수자에 대한 과격한 혐오, 장애인에 대한 비하, 여성차별 등 아직 부의 성장을 따라잡지 못했던 인권의 미숙함이 고스란히 남기고 있기 때문이다.

무엇보다 눈길을 끄는 것은 지금껏 인상적 조역으로만 여겨졌던 샐리 호킨스의 눈부신 연기이다. 그녀는 빗방울을 따라 흐르는 시선이나 수화를 건

네는 손동작만으로 말 이상의 감정과 정서를 전달하는 데 성공한다. 기예르모 델 토로 감독의 특장점이라고 할 수 있을 그로테스크하고 아름다운 미술은 가히 압도적이다. 욕실 전체에 물을 가뜩 채워 두고 두 사람이 둥둥 떠 있는 그 장면은 그것은 사랑이었노라, 라는 말 이외의 어떤 것도 떠오르게 하지 않는 마술을 발휘한다.

사랑은 움직이는 것

주인공 엘리사가 목소리를 잃은 장애인이라는 것, 가장 친한 친구가 게이와 흑인이라는 사실은 의미심장하다. 그렇게, 목소리를 잃고 남의 목소리에 귀 기울이는 엘리사였기에 종이 완전히 다른 생명체의 메시지를 읽고, 소통한다. 엘리사에게는 그 생명체의 외모나 그것의 과학적 활용처가 중요하지 않다. 그것은 말하자면 우리가 '사랑'이라고 부르는 어떤 기적과 닮아 있다. 그것은 말로, 그러니까 남들을 설득할 수 있는 논리로 전개되는 감정이 아니다. 그렇게 엘리사는 낯선 생명체와 사랑에 빠진다.

엘리사가 '괴물'과 사랑에 빠질 수 있었던 이유는 단 하나이다. 엘리사는 교감할 줄 아는 사람이다. 그는 사람을 어떤 외적 기준들 그러니까, 남자, 여자, 흑인, 백인, 중산층, 노인 등의 여러 표지에 의해 판단하지 않는다. 영화 속에서 엘리사와 가장 반대에 있는 인물이 있다면 그는 바로 낯선 생명체를 괴롭히는 리차드이다.

그는 소변을 보기 전에 손을 씻고 소변을 본 후엔 씻지 않는 것을 자랑스러워하는 남자다. 그는 자기 신체 일부를 만지기 전에는 손을 씻지만 타인의 손을 잡기 전엔 손을 씻지 않는다. 그 신체 일부가 타인보다 소중하기 때문이다. 그런 마초가 남미 어느 늪에서 잡아온 피조물을 고문하고 괴롭힌다. 그 피조물은 비록 우리와 생김새는 다르지만 의사소통도 되고 감정의 교류

도 가능하다. 하지만 마초 관리자에게 그 피조물은 열등하고 이상한 물체에 불과하다.

중요한 것은 그 관리자에게는 자신과 생김새가 다른 모든 게 다 열등하다는 사실이다. 흑인은 피부색이 다르니 열등하다. 여성은 피부색과 무관하게 우선 생물학적으로 다른 몸을 가졌으니 열등하다. 말을 하지 못하는 주인공 엘리사가 열등한 건 말할 것도 없다. 그는 신이 자신의 모습과 똑같은 형상으로 인류를 창조했다고 말한다. 여기서 말하는 '같은 형상'은 백인 남성의 모습이다. 그러니까 정상적인 신체를 가진 백인 남자가 가장 신에 가까운 것이고, 나머지는 모두 조금씩 결격 사유를 지닌 열등한 존재이다. 결함을 가진 이상 여자나 괴물이나 흑인이나 괴물이나 모두 다 똑같이 열등하다.

영화의 놀라운 힘은 무시 받고, 협박받고, 천대받는 그들이 힘을 모을 때 발휘된다. 물속 피조물이나 말 못하는 여성이나 다 똑같이 열등하다면 적어도 그들 간에는 아무런 차이도, 차별도 없다. 엘리사가 연구소에서 피조물을 구출하려 할 때, 모든 사람들이 "가만히 있어라"라며 만류한다. 하지만 적어도 엘리사에게 그 피조물은 우리보다 열등한 생명체가 아니라 똑같은 생명체이다. 즉 그 피조물은 괴물이 아니라 우리의 이웃인 것이다. 똑같은 존재이니 사랑에 빠지는 건 이상한 일이 아니다. 결함과 차별로 이뤄진 게 아니라 생명을 가졌다면 모두가 다 사랑할 수 있는 똑같은 존재인 셈이다.

〈셰이프 오브 워터〉는 결국 사랑 이야기이다. 인류가 이 땅에 살아온 이후 한 번도 멈춘 적 없는 사랑의 이야기. 그것은 비단 인간과 인간 종 간의 것에 멈추는 것은 아니리라. 사랑 앞에 다르다는 것은 오히려 축복일지도 모르겠다. 각기 다른 것들이 그것 나름의 가치와 색깔, 의미를 지니고 저절로 형형한 빛깔을 낼 수 있는 곳, 그곳이 바로 기예르모 델 토로가 생각하는 유토피아, 헤테로피아로서의 천국일 것이다.

강 유 정 _ noxkang@hanmail.net

고려대 국어국문학과 대학원 졸업. 2005년 《조선일보》 《경향신문》 신춘문예 문학평론 당선, 《동아일보》 영화평론 입선. 저서로 『오이디푸스의 숲』 등이 있음. 강남대 교수.

마틴 맥도나 감독

쓰리 빌보드

감독 마틴 맥도나
출연 프란시스 맥도맨드, 우디 해럴슨
각본 마틴 맥도나
제작 그레이엄 브로드벤트
기획 다니엘 바트섹
촬영 벤 데이비스
음악 카터 버웰
음향 크리스터 멜렌
편집 존 그레고리

분노와 숭고가 만나는 풍경.
미국적 합리성을 날카롭게 해체하는 전복적 모성 스릴러.
위대한 엄마.
분노와 혐오의 시대에 용서와 화해의 의미를
다시 생각해 보게 함, 프란시스 맥도맨드와 우디 해럴슨의
연기를 보는 재미가 짭짤.
프란시스 맥도맨드의 영화제 수상소감과
그 중심의 포용조약도 꼭 기억해야 할 터.
탁월한 인물구축, 뛰어난 연기, 예측불허의 전개와 반전.

— 추천위원의 선정이유 中

아수라장 속 캐릭터들의 향연, 그 안에서 피어나는 인간적 품격

— 마틴 맥도나 감독 **〈쓰리 빌보드〉**

정민아(영화평론가, 성결대 교수)

그녀는 엄마고 노동자다. 그녀는 리벳공 로시 작업복을 입고 있고 예쁘지 않다. 그녀는 욕을 입에 달고 살고 누구든 공격한다. 그녀는 무표정이고 무자비하다. 그녀 이름은 밀드레드. 〈밀드레드 피어스〉(1945)의 그 밀드레드는 버릇없는 딸로 인해 비극의 낭떠러지로 추락했다면 〈쓰리 빌보드〉의 밀드레드 역시 딸의 죽음에 대한 분노, 그리고 딸에 대한 말할 수 없는 죄책감으로 세상 모두를 적대시한다.

미국 남부지역 미주리 주에 위치한 가상의 외곽 도시 에빙이 배경이다. 조용한 고속도로는 에드워드 호퍼의 그림이나 스티븐 쇼어의 사진 속 풍경처럼 황량하고 쓸쓸하다. 어느 날 도로 길가에 서 있는 색 바랜 낡은 대형 광고판 세 개에 밀드레드는 눈이 간다. 범인을 잡지 못한 채 잊혀져버린 딸의 살인사건에 대해 세상의 이목을 다시 끌기 위해 밀드레드는 세 줄의 문구를 빌보드 광고판에 실기로 한다. "왜 그런 거지, 윌러비?", "아직도 범인을 못 잡

은 거야?", "내 딸은 죽어가면서 강간당했다." 이 세 문장이 써진 파격적인 붉은 광고판은 영화가 끝날 때까지 서사를 끌고 가는 핵심요소이며, 표면적으로 평화로운 마을의 숨겨진 문제들을 끌어올리는 촉매로 기능한다.

민낯들이 충돌하는 갈등의 상징 공간

지루한 루틴으로 돌아가는 미니멀한 공간 에빙은 어느새 빌보드 광고판으로 인해 강렬한 정서로 소용돌이치는 뜨거운 용광로가 되어간다. 그곳에 박혀서 그저 하던 대로 살아가던 인물들의 껍데기가 벗겨지면서 수면 위로 이

들의 민낯이 떠오르자 문제적 인물인 그들 모두는 콤플렉스, 죄책감, 분노, 모멸감, 혐오감으로 똘똘 뭉쳐져서 서로 한바탕 충돌한다. 각자의 분노는 이유가 있지만 엉뚱한 대상으로 향하면서 도덕적 문제를 일으키고, 누구랄 것도 없이 모두 다 선과 악의 이중성을 가지고 있다. 호감이 가다가도 미워지고, 싫어하다가도 사랑스러운 존재가 되는 캐릭터들의 향연으로 이루어진 이 마을은 현대 미국사회의 문제점을 압축적으로 모아놓은 상징적 공간이기도 하다.

밀드레드는 경찰서장인 윌러비를 공개적으로 망신주지만, 그녀의 본심은 흑인을 고문하거나 마약 소지 사건에 신경 쓰느라 강력 범죄를 다루는데 소홀한 경찰력 전체에 경종을 울리고 싶은 것이다. 온화한 성품으로 마을의 존경을 받는 윌러비 서장이 췌장암으로 인해 곧 죽어갈 자신에게 이렇게 해야 하냐고 질문하자 밀드레드는 이미 알고 있다고 말한다. 찔러도 피 한 방울 나오지 않을 것 같은 냉랭한 얼굴의 그녀는 불행을 안고 있지만 마을사람들의 동정을 받지 못한다.

밀드레드의 처지를 이해하고 있는 윌러비와 다르게 그녀와 감정적으로 완전히 반대편이 놓인 인물이 경찰관 딕슨이다. 그는 흑인을 고문하고 동성애자를 혐오하는 호모포비아 백인우월주의자다. 오바마 시대를 거치고 트럼프 시대에 접어들면서 보수적인 분위기가 주도하는 정치 환경에 대한 반작용으로 최근 몇 년간 미국영화에는 이와 같은 백인우월주의자가 등장하는 영화가 흔히 나타나고 있다. 가령 〈셰이프 오브 워터〉, 〈히든 피겨스〉, 〈겟아웃〉, 〈더 포스트〉 같은 영화에는 남자 백인우월주의자에 대항하는 여성, 장애인, 흑인, 동성애자, 괴물이 세상을 구원하는 능동적인 캐릭터로 놓인다.

오스카와 골든글로브를 위시하여 2018년 연기상을 휩쓴 밀드레드 역의 프랜시스 맥도먼드와 딕슨 역의 샘 록웰의 일생일대의 연기에 상찬을 보내기에 앞서, 치밀한 스토리텔링과 캐릭터화의 정교함이야말로 이 영화를 명예의 전당에 가져다 놓을 핵심요소라고 할만하다.

부조리한 사회를 풍자하는 정교한 캐릭터들

감독이자 각본을 쓴 마틴 맥도나는 영국 웨스트엔드를 놀라게 한 베테랑 연극연출가로 셰익스피어의 후계자란 명성을 얻을 정도의 탄탄한 실력을 영화에서도 제대로 보여준다.

밀드레드, 윌러비, 딕슨 말고도 밀드레드를 돕는 캐릭터인 광고제작자 레드, 성적 긴장감 상대인 난쟁이 제임스, 함께 사는 아들 로비, 흑인인 신임 경찰서장, 윌러비의 아름다운 부인, 그리고 밀드레드를 힘들게 하는 캐릭터인 폭력적인 전남편 찰리, 찰리의 열아홉 살 먹은 애인, 죽은 딸 안젤라, 딕슨의 노모, 범인으로 오인되는 백인남자, 심지어 잠깐 등장하는 백인 치과의사와 흑인 건설노동자까지, 캐릭터 하나하나가 잘 고안되어 있다. 그들 모두 분노와 혐오의 감정을 가지고 있고, 그들은 모두 이유가 있고, 그들은 변하기도 한다.

정교하게 구축된 캐릭터들이 서로 충돌하며 폭발한 후, 때로는 화해하고 연대하는 과정은 아이러니로 점철된 가운데 논리적으로 설득력을 가진다. 긴장감으로 가득한 플롯이 전개되면서 주제의식이 탄탄하게 빛을 발하는가 하면, 기가 막히게 웃긴 블랙 유머는 엔터테인먼트적인 재미와 여유로움을 한껏 선사한다.

잠깐 등장할지라도 인과적 이유를 가진 인물들 모두가 선과 악을 포함하는 복합적 캐릭터로 세련되게 표현되어 하나하나가 교본처럼 보인다. 밀드레드는 청색 오버롤 작업복에 머리에는 반다나를 두르고 언제든 작업을 나갈 준비 태세에 있다. 이는 2차세계 대전 전후에 여성의 노동을 독려하기 위해 활용된 리벳공 로시 이미지를 원용한 것인데, 여성주의와 애국주의의 두 의미를 담고 있으며 미국적 삶의 아이콘이 되었던 것을 비틀어버린다. 밀드레드 이미지 그 자체야말로 아메리칸 드림의 허상을 꼬집으며, 미국사회가 세뇌시켜온 올바름의 역사를 무력화시킨다.

백인인 그녀는 폭력적인 전 남편에게 미련을 가지고 있으며, 자신을 대가 없이 도운 장애인 남성에게 모멸감을 준다. "강간 당해라"라는 몹쓸 말로 저주를 퍼붓고, 방화하여 사람이 다쳐도 천연덕스럽게 거짓말을 하며, 자신을 비난하는 사람을 송곳으로 찌른다. 새끼 잃은 어미를 동정은커녕 비난하는 사람들에 대한 그녀의 흉포한 행위는 영화에서는 통쾌하지만 현실에서는 만날까 두렵다. 여성주의, 애국주의, 이상적인 미국적 삶, 그 모든 것이 그녀에

게서 비켜간다.

"누군가에게 해를 주고 싶으면 그 친구를 괴롭히면 된다"고 조언하는 늙은 엄마와 지내는 게 유일한 취미인 마마보이 딕슨 또한 문제적이다. 경찰을 조롱하는 놈을 그냥 놔두면 안 된다는 선배 경찰의 조언에 따라 무차별적으로 방망이와 주먹을 휘두르기도 한다. 하지만 그는 사실 아바(ABBA)의 말랑말랑한 발라드를 좋아하는 자기 존재 부정의 동성애자다. 그의 동성애혐오증, 유색인종 차별과 폭력의 역사는 자신의 동성애 취향과 무식함을 가리기 위한 방편이지만, 더 큰 문제는 부모부터가 화이트 트래쉬(white trash)인 점이

다. 가난한 자신의 처지를 분개하면서 분노를 약자에게 폭력적으로 투사하는 성향을 가진 이의 표본이다.

그런 두 사람을 이어주는 인물이 백인 경찰서장 윌러비다. 따뜻한 품성과 리더십으로 마을사람들의 존경을 받는 이 인물을 악동 이미지의 배우 우디 해럴슨이 맡아서 그의 기존 페르소나를 뒤집는 것 같다. 하지만 그럴 리가. 이는 놀라운 패러디다. 아내와 두 딸에게 병으로 죽어가는 초라한 모습으로 기억되기 싫어 자살을 선택하는 현명한 가장으로 보이지만, 이 캐릭터야말로 매우 복잡하게 구성되었다. 젊고 건강하고 아름다운 아내는 성관계시 그를 "아빠"라고 부르고, 딸들과 굿나잇 키스 바로 다음 쇼트로 아내와의 베드씬을 배치하는 의도성, 자살이나 각혈로 기억되는 피의 이미지는 이상화된 가부장 가족주의가 남긴 모순을 내포한다. 그는 사회적으로 좋은 남자지만, 어쩌면 밀드레드의 전남편과 동일선상에 놓이고, 어쩌면 강간범으로 오인된 아프간 파견 군인까지 동일선상에 놓인다. 남자들이 서로 묵인하고 동조해 온 비열한 사회에서 어린 여성은 성적으로 유린되고 늙은 여성은 퇴물 취급을 받으며 혐오의 대상이 된다.

황량함과 타오르는 불

불타오르는 광고판은 백인남자들의 묵인과 은밀한 연대를 폭로하고 차별과 편견의 속살을 파헤친 데 대한 처벌로 보인다. 멀리 떨어진 불타는 광고판 사이를 소형 소방기를 메고 애처롭게 뛰어다니는 밀드레드는 초라하지만 연민을 불러일으키는 거대한 존재가 된다. 불구덩이에서 안젤라의 사건 파일을 품에 안고 뛰쳐나온 후 강간을 고백한 백인남자를 추적하는 딕슨의 각성은 카타르시스를 선사한다.

둘은 결국 연대할 것이고, 이들은 딸의 개인적 원한을 넘어, 미국이 침탈한 낯선 땅에서 이름도 없이 유린된 여성들의 비극에 눈을 뜰 것이다. 그것은 또한 미국의 비극이다. 그들이 차를 돌려 집으로 향할지라도, 그들의 각성은 유효하며 품격 있는 인간으로의 재탄생이다.

차갑고 뜨겁다. 이 모순된 감정의 파고를 조용히 응시하며, 각본, 캐릭터, 연기, 주제의식, 표현 스타일, 모든 것이 조화를 이루는 현대 클래식의 등장에 가슴이 벅차올랐다.

정 민 아 _ yedam98@hanmail.net
영화평론가, 성결대학교 연극영화학부 교수, 한국영화평론가협회 총무이사, 서울시 독립영화 공공상영회 배급위원, EBS 영화프로그램·여성인권영화제 자문위원, 영화전문 사이트 「익스트림무비」 편집위원.

고레에다 히로카즈 감독

어느 가족

감독 고레에다 히로카즈
출연 릴리 프랭키, 안도 사쿠라, 마츠오카 마유
각본 고레에다 히로카즈
제작 이시하라 다카시
촬영 콘도 류토
음악 호소노 하루오미
음향 카즈히코 토미타
편집 고레에다 히로카즈

객관화될 수 없는 우리네 인생.
도둑질로 연명하는, 사회 시스템 바깥에 존재하는 가족도
진짜 가족일 수 있는가 묻고 이에 대해 비관과 낙관을
고루 제시했다는 점에서 의미 있다.
영화는 이성애 혈연 중심의 이데올로기를 완전히 부정한다.
유사 가족의 눈물겨운 연대를 통해 혈연 가족의 허구성에
메스를 들이댄 이 분야의 걸작.
21세기 가족에 대한 새로운 화두를 던지다.
잔잔하지만 반전이 거듭되는 가족, '그들'의 삶.
먹먹한 감동. 고레에다의 재발견! 작은 걸작!
유대와 고독의 이중적이고 모순된 정조를
절묘하게 표출해 내는 등 연출미학의 경지에 도달.

— 추천위원의 선정이유 中

담장 안 현실을 질문하는 판타지-〈어느 가족〉

— 고레에다 히로카즈 감독 〈어느 가족〉

안숭범(영화평론가, 경희대 교수)

보편적인 가족의 형태는 자연발생적 공동체에 가깝다. 서로에 대한 헌신으로 엮인 그 구성원들은 사랑이라는 신비를 공유하고 있다는 믿음 아래 결속한다. 예컨대 우리 중 대다수에게 가족은 나를 여기 있게 한 힘이다. 존재의 가장 따뜻한 배후이면서 나를 구성하고 있는 것들 상당수의 역사다.

이 같은 언명은 진실에 가깝지만 다른 한편으론 우리의 믿음을 기반으로 형성·유지된다. 고레에다 히로카즈가 창조한 인물들은 그 믿음 아래 감춰진 기이한 결핍과 균열을 반사하는 인물들이다. 그의 첫 장편 〈환상의 빛〉 속 유미코(에스미 마키코 분)는 학창시절 죽은 할머니에 대한 기억을 내내 떨치지 못한다. 결혼과 동시에 새로운 가족을 꾸리게 된 그녀는 이번엔 남편의 자살 이후 생긴 그 충격적 공백을 메우지 못한다. 〈아무도 모른다〉의 사남매는 크리스마스가 오기 전 돌아오겠다고 약속한 엄마를 끈질기게 기다린다. 결핍 이전의 가족 상태를 회복할 수 있으리라는 어떤 약속, 더 정확히 말하면 그

약속이 적힌 메모에 뼈아프게 의존한다. 이 같은 결핍에 대한 태도는 가족에 대한 믿음이 불러 온 것이다. 〈아무도 모른다〉에서 그 믿음은 결국 사남매를 사회적 잉여의 자리로 던져 버린다.

〈어느 가족〉 속 가족의 출발점도 정확히 거기다. 이 가족은 사회적 시선에서 '정상성' 혹은 '평범성'에서 벗어난 잉여의 자리에 놓여 있다. 주목할 것은, 이들이 혈연관계, 즉 생득적으로 결속된 사이가 아니라는 사실이다. 그들은 사후적 선택에 의해 유사가족을 이루고 있을 뿐이다. 그들의 면면을 보면, 죽은 남편의 집에서 그의 연금으로 연명하는 하츠에(기키 기린 분), 일용직 노동자이지만 도둑질에 더 능숙한 오사무(릴리 프랭키 분), 전직 유흥업소 종업원으로 지금은 세탁 공장에서 일하는 노부요(안도 사쿠라 분), 유사 성매매 업소에서 일하며 사랑을 갈구하는 아키(마쓰오카 마유 분), 학교를 궁금해 하지만 도둑질부터 배운 쇼타(죠 카이리 분), 부모의 학대에서 벗어나 이 이상한 가족의 마지막 구성원이 된 유리(사사키 미유 분) 등이다.

이들은 가족에 대한 신화적 믿음이 향하는 방향에서 완전히 벗어나 있다. 혹은 그 믿음을 각기 다른 맥락에서 창조적으로 재해석하게 하는 인물들이다. 가족에 대한 우리의 관념에 구멍을 내는 틈새들이면서 그 자체로 미묘한 질문이기도 하다. 지면의 제약상 여기서는 쇼타와 유리에 의해 제기된 질문을 추수해고보자 한다. 그 이전에 공유해야 할 것은, 쇼타의 입에서 '스위미'라는 제목으로 언급된 교과서 속 우화가 이 영화 전반을 은유한다는 사실이다. 쇼타는 그것을 작은 물고기들이 모여 거대한 참치를 물리치는 이야기라고 말한다. 여기서 작은 물고기들은 동정과 연민에 기초해 의지적으로 존속되는 이 유사가족의 구성원들일 것이다. 그렇다면 거대한 참치는 제도권의 가족에 대한 규율적 시선일 수 있다. 이 시선은 내부를 단속하는 매우 힘 센 관성을 지닌다. 그 때문에 영민한 관객은 이 영화가 실패가 예견된 실험극이

란 걸 일찌감치 알게 된다. 아직 기성사회에 진입하지 않은 쇼타와 유리는 그러한 비극적인 전망을 배경에 두고 날카로운 질문으로 육박해 온다.

먼저 쇼타의 의미론적 위치를 떠올려보기로 한다. 앞서 〈어느 가족〉의 인물들이 '가족'에 대한 신화의 균열점들, 그 틈새에 해당한다고 말한 바 있다. 그렇다면 쇼타는 다른 인물들과 달리 그 틈새를 들여다보며 사회적 자아를 획득해가는 경로에 있는 소년이다. 혹은 주체적 자각의 단계에 입사하기 직전에 와 있다. 유사가족을 이루고 있는 구성원들 사이에서 한 발짝 떨어져 '나'와 '우리'의 관계를 질문하는 존재인 것이다.

그들 유사가족의 형성 과정엔 크고 작은 모순과 부도덕이 산재한다. 일

단 그들은 각기 다른 형태로 가족 제도의 부작용을 웅변한다. 그들이 밥상 공동체를 유지할 수 있었던 기반도 찜찜하기 그지없다. 아이러니한 말이지만, 그들이 생계의 안정성을 꾸려온 배경엔 하츠에의 죽은 전남편의 그림자가 있다.

그는 제도권이 명한 정조의무, 성실과 신의의 원칙을 위반한 채 딴살림을 차리고 살다가 하츠에를 등지고 죽는다. 그러나 제도권은 하츠에에게 죽은 전남편의 집을 물려준 것은 물론 연금 수혜자 자격도 부여한다. 심지어 하츠에는 전남편이 밖에서 낳은 자식들을 찾아가 종종 생활비를 타오기까지 한다. 하츠에의 몫이 된 집과 돈은 매우 중요하다. 유사가족 구성원들이 '가정'

이라는 생활 울타리를 유지하는 데 결정적 기여를 하기 때문이다.

그곳에서 뒹굴다가 학교 문턱도 넘지 못한 쇼타는 인정 많은 오사무로부터 도둑질을 배운다. 쇼타는 오사무를 좋아하지만 질문을 내려놓진 않는다. "집에서 공부할 수 없는 애들이 학교에 다니는 거 아녜요?", "나를 구해줬을 때에도 뭘 훔치려다 날 발견했어요?" 이러한 질문은 자연발생적 혈연관계로 탄생한 가족과 지금 자신이 속한 유사가족 사이의 낙차에서 발원한다. 그러면서 쇼타는 집에서 교과서를 소리 내어 읽곤 한다. 제도권이 정상성, 평범성으로 인준하는 '가족'과 '성장'을 궁금해 하는 아이인 것이다.

그래서 그가 마트에서 양파를 훔치다 들켜 쫓기게 되었을 때 내린 선택은 내면의 압력 때문이 아니었을까 하는 생각마저 든다. 그는 높은 도로 위에서 뛰어내림으로써 스스로 달아날 수 없는 상태가 된다. 이 행위는 쇼타가 오사무에게 했던 질문의 다른 판본이다. 영화 내 유사 가족구성원들과 영화 밖 우리에게 던진 최종적인 질문이다. 우리의 의지적 결단에 의해 '가족'을 구성할 수 있다면, 가족을 가족이게 하는 결정적 근거는 무엇인가와 같은 질문 말이다.

쇼타의 존재가 세간에 알려지면서 경찰 앞으로 불려나가게 된 이 유사가족은 그들의 실존을 추궁당한다. 노부요는 오사무와 함께 진짜 남편을 살인한 치정극의 주인공으로 취급 받았던 적 있다. 이번에는 집안에서 조용히 숨을 거둔 하츠에의 시신 뒤처리를 두고 살인, 시신 유기의 의심이 따라붙는다. 유리를 유괴했다는 의혹에 휩싸인 것은 물론, 쇼타의 지난날에 대해서는 아동 학대와 방기 혐의가 덧씌워진다.

유사가족에 대한 세간의 취조가 진행되는 영상은 참여적 다큐멘터리를 보는 듯한 착시를 일으킨다. 고레에다 히로카즈는 건조한 바스트 쇼트로 유사

가족들의 진심을 사실화하려 한다. 특히 쇼타와 유리의 유사 부모 역할을 해온 오사무, 노부요에게서 '유사'라는 수식어에 대한 입장을 들으려는 작심이 읽힌다. 이러한 연출이 영화적으로 훌륭한 선택인가에 대해서는 이견이 있을 수 있다. 그런데 오사무와 노부요가 '말한 것'과 '차마 말하지 못한 것' 사이에서 우리는 '가족이란 무엇인가'에 대한 제3의 답을 준비하고 싶어진다. 유리를 돌보기 위해 세탁 공장을 나오기까지의 과정에서 노부요는 큰 희생을 반복해서 치른다. 또한 오사무의 본명(쇼타)이 밝혀지는 장면에서 우리는 쇼타를 향하던 그의 온정적 태도에 우리가 모르는 진심이 있을 것이란 상상을 하게 된다. 진짜 가족에게 있는 생득적 '혈연'은 없지만 그들의 관계망엔 보기 드문 희생과 연민의 '사연'이 드리워져 있는 셈이다.

이제 또 다른 질문으로서 유리의 면면을 살펴보자. 그녀는 "낳고 싶지 않았다"는 말을 서슴지 않는 부모 곁에서, 물리적·정서적 폭력이 일상화된 가정에서 유사 가족에게 구조된다. 그런데 그녀가 유사 가족의 일원이 된 지 두 달이 지났을 무렵, TV에서 그녀의 실종 소식이 방영된다. 이때 알게 된 그녀의 본명은 쥬리다. 그녀는 이 가족에 진입하면서 새로운 이름을 얻은 존재인 것이다. 문제의 TV 장면을 본 오사무는 유리에게 집으로 돌아갈 거냐고 묻는다. 그때 그녀는 생득적 가족을 포기하고 유사 가족을 택한다. 이후 유리는 유리도, 쥬리도 아닌 새로운 이름 '린'으로 불리기 시작한다. 그 이름은 그녀의 자발적 선택과 유사 가족의 선의의 포용에 의해 탄생한 정체성의 새로운 표지이기도 하다.

남편의 폭력에 시달리다가 오사무를 통해 새 삶의 출구를 찾은 노부요는 유리에게서 동질감을 느낀다. 함께 목욕을 하던 노부요와 린은 서로의 팔뚝에 새겨진 유사한 흉터를 어루만져준다. 그렇게 노부요는 자연 획득되는 모성이 아닌, 의지적 결단과 정서적 유대로 얻어진 모성을 받아들인다. '사랑

하니까 때린다'는 말의 허구성을 주지시키며 린을 꼭 안아준다. 다시 말하지만 이 치유의 관계는 의지적·정서적 결단을 전제한다. 윤리적인 태도로 이어지는 인간적인 유대감의 힘을 상기시킨다. 이제 린은 '당신에게 진짜 가족이 있는가'를 묻는 상징적 피사체가 된다. 말수 적은 꼬마 소녀 린을 지극하게 바라보는 카메라의 시선은 결국 사랑이라는 감정에 합당한 태도를 되새기게 한다.

하츠에의 죽음 이후, 유사 가족은 사랑으로 소통하는 관계의 필요조건을 생각하게 한다. 그들이 다소 과장적인 과거사를 지닌 것은 사실이다. 그러나 우리도 그들처럼 무람없이 대할 수 있는 누군가가 가까이에 필요한 사람들이다. 〈어느 가족〉은 완전한 합일을 이룬 정서적 공동체의 순간을 두 번 보

여준다. 먼저는 마루에 붙어 앉은 그들이 불꽃놀이를 올려다보는 신이다. 비 그친 후의 밤하늘을 장식 중인 불꽃은 우리에게 보이지 않는다. 그러나 순간의 판타지로 사라질 불꽃을 두고 그들은 생경한 감동을 느낀 것처럼 보인다. 이 장면은 해체되어 흩어질 유사 가족에 대한 우리의 시선과 이후 남겨질 여운에 대한 유비에 해당한다.

유사가족에게 찾아 온 두 번째 합일의 순간은 단연 바닷가 신이다. 바닷가 모래사장에서 그들은 활기차게 행복한 한때를 보낸다. 죽음을 예감한 하츠에는 멀찍한 곳에 홀로 앉아 있다. 그 순간 하츠에는 "다들… 고마웠어"라고 조용히 읊조린다. 그녀에게 그들은 상징적·물리적으로 두 번 죽은 남편의 빈자리를 메워준 식구들이었다. 이후 신에서 하츠에는 죽고 유사 가족 구성원들은 굳이 슬퍼하지 않는다. 심지어 그들은 하츠에의 시신을 집 안에 묻고는, 아무렇지 않게 지금까지 해온 동거를 연장한다. 고레에다 히로카즈는 그 '아무 일 없음'을 통해 가족 구성원이면서 개별적 존재로 살아가는 우리의 실존을 상기시킨다.

영화 마지막 시퀀스에서 쇼타와 유리는 자연발생적·생득적 가족 공동체의 품으로 돌아가게 된다. 그러던 어느 날, 쇼타가 오사무를 찾아와 하룻밤을 함께 보낸다. 쇼타가 버스를 타고 혈육의 곁으로 되돌아가려는 순간, 오사무는 진심과 유리되는 다시 찾아오지 말라는 말을 정확히 전달하지 못한다. 대신 쇼타를 태운 버스가 출발하자 그 꽁무니를 뒤쫓으며 뭔가를 외친다. 버스 안에서 뒤늦게 오사무를 되돌아 본 쇼타는 선택에 의해 탄생한 두 번째 아빠를 바라보며 조용히 "아빠"라고 읊조린다. 함께 훔친 낚싯대로 거대한 참치를 낚진 못했지만, 그들이 보낸 시간이 신비한 공명을 일으킨 것이다.

친부모가 있는 집으로 돌아가 다시 쥬리가 된 린은 무관심과 물리적 폭력이 횡행하는 벽돌 담장 안에 다시 갇힌다. 영화의 엔딩신은 그녀가 지금 행복할까에 대한 우리의 궁금증에 일정한 답을 준다. 혼자 무료하게 놀던 쥬리는 발뒤꿈치를 들고서 조용히 담장 밖을 응시한다. 쥬리의 표정을 경유해 우리는, 그녀가 유리이거나 린이었던 시절을 되돌아보게 된다. 우리도 밤하늘의 불꽃과 바닷가의 웃음을 함께 누린 그 공동체를 더 오래 생각해 볼 일이다.

안 숭 범 _ holy31ch@hanmail.net
경희대학교 국어국문학과 교수. 영화평론가. 시인. EBS 〈시네마천국〉을 진행했으며
국제영화비평가연맹 사무국장, 부산국제영화제 피프레시상 심사위원, 한국영화학회 이사 등을
역임했다. 저서로 『SF, 포스트휴먼, 오토피아』, 『북한을 읽는 해외 다큐멘터리의 시선들』 등이 있다.

루카 구아다니노 감독

콜 미 바이 유어 네임

감독 루카 구아다니노
출연 티모시 샬라메, 아미 해머
각본 제임스 아이보리
제작 루카 구아다니노
기획 나이마 아베드
촬영 사욤브 묵딥롬
음악 로빈 어당
편집 월터 파사노

소년의 사랑은 미숙해서 위태롭고 순수해서 애잔하다.
자신의 이름으로 상대를 부르는 것은
서로가 또 다른 자기임을,
상대방에게서 자신을 본다는 것을 의미한다.
아들의 사랑을, 그것이 동성애라고 해서 비난하지 않고
있는 그대로 인정하는 부모의 모습 또한 인상적이었다.

— 추천위원의 선정이유 中

완벽한 사랑의 밀어

— 루카 구아다니노 감독 〈콜 미 바이 유어 네임〉

송경원(영화평론가)

"이토록 확실한 감정은 일생에 단 한번 밖에 오지 않아요." 숱한 멜로드라마의 진부한 달콤함 사이에서 등대처럼 빛나는 대사를 하나 고른다면 〈메디슨 카운티의 다리〉(1995) 속 확신에 찬 한 마디를 꼽겠다. 자유로운 사진작가 로버트(클린트 이스트우드)는 낮고 단단한 목소리로 일상의 권태 아래 서서히 잠겨가던 프란체스카(메릴 스트립)의 영혼을 일깨운다. 이후 두 사람이 함께 떠났는지, 어떻게 살았는지는 그리 중요치 않다. 영화가 할 수 있는 건 '그래서 행복했습니다'는 막연한 대리만족이 아니라 지금 이 순간, 오늘의 떨림을 놓치지 않고 화면에 잡아두는 것 정도가 아닐까 싶다. 프란체스카는 들끓는 내면의 동요를 들키지 않으려 필사적으로 표정을 억눌러 보지만 흔들리는 눈동자와 미세한 떨림을 전부 숨기지는 못한다. 솜털의 움직임마저 들릴까 숨죽이게 만드는 그 장면의 긴장감은 통제할 수 없는 사랑의 열기를 닮았다.

루카 구아다니노 감독의 〈콜 미 바이 유어 네임〉을 보며 불현듯 〈메디슨

카운티의 다리〉의 프란체스카가 떠올랐다. 2007년 발간된 안드레 애치먼 작가의 소설 『그해, 여름 손님』을 각색해 영화화한 이 작품은 한여름 열기처럼 들뜨고 설레는 사랑의 순간들을 담아낸다. 스토리는 비교적 단순하다. 1983년 여름, 이탈리아 근교의 별장에 17살 소년 엘리오(티모시 샬라메)와 그의 가족이 머물고 있다. 고고학자인 아버지 펄먼 교수(마이클 스틸버그)는 매년 여름 젊은 학자 한 명을 별장으로 초청해 이야기를 나누곤 해왔다. 그해 여름 24살의 미국 청년 올리버(아미 해머)가 손님으로 초대되어 아버지의 책 출간을 돕는다. 엘리오는 새로운 손님에게 호기심을 느끼면서도 관심 없는 척 거리를 둔다. 하지만 축복처럼 햇살이 쏟아지던 그해 여름 엘리오는 계속 눈가에 밟히는 올리버를 통해 새로운 사랑에 눈을 뜬다.

결과만 놓고 본다면 아마도 〈콜 미 바이 유어 네임〉은 〈메디슨 카운티의 다리〉의 정반대에 놓인 영화일 것이다. 〈메디슨 카운티의 다리〉가 영혼을

울리는 떨림을 속을 삭히는 멜로드라마였다면 〈콜 미 바이 유어 네임〉은 '나를 네 이름으로 불러줘'라는 고백처럼 사랑의 숨결을 온 힘을 다해 토해내는 뜨거운 로맨스의 흔적이라 할 만하다. 그럼에도 두 영화는 본질적으로 사랑의 밀어를 나누는 순간이라는 정서를 공유한다. 같은 수원에서 흘러나온 서로 다른 물줄기라고 해도 좋겠다. 두 영화가 공유하고 전파하는 것은 사랑이라 불리는 통제 불가능한 욕망의 진동, 그 떨림이 주변에 남기는 것들을 남김없이 기록하고자 하는 태도다. 서로의 마음을 확인한 첫 섹스를 나누던 밤 올리버는 엘리오에게 말한다. "네 이름으로 나를 불러줘. 내 이름으로 너를 부를께." 이름을 교환해서 부르는 이 장면은 언어로 표현할 수 있는 가장 강력한 고백일 것이다. 네가 되는 꿈. 끝내 너와 하나가 되고 싶다는 욕망. 타인과 공유할 수 없는 것까지 아낌없이 공유할 수 있는 관계. 엘리오에게 "나를 네 이름으로 불러줘"라는 말하는 올리버의 들뜬 요청이 "확실한 감정을

붙잡으라"던 로버트의 떨리는 호소와 겹쳐 보이는 건 아마도 그 때문일 것이다. 원작 소설에 대해 "정말 섹시하다"고 압축·정리했던 〈뉴욕타임스〉의 서평처럼 〈콜 미 바이 유어 네임〉은 사랑이 허락한 관능적인 순간들을 한여름 눈가를 어지럽히는 햇살처럼 반짝거리는 이미지들로 담아낸다.

〈콜 미 바이 유어 네임〉에 없는 것, 부재를 통해 더욱 선명해지는 사랑의 시간

동성애에 눈을 뜨는 소년의 흔들리는 내면을 다루고 있지만 사실 〈콜 미 바이 유어 네임〉은 소년의 커밍아웃 자체를 대단한 사건인양 집중하거나 호들갑 떨지 않는다. 영화의 심장을 움켜쥐고 있는 건 첫사랑의 열병과 사랑을 들킨 소년의 수줍은 마음이다. 억눌러도 숨길 수 없는 사랑의 흔적들은 영화 곳곳에 욕망의 제스처를 남긴다. 총명하고 조숙한 엘리오는 올리버에게 자신을 봐달라는 양 괜히 지식을 뽐내다가도 행여 말이 넘쳐 마음을 들킬까 매

번 스스로에게 브레이크를 건다. 시선을 감추려 괜히 선글라스를 써보지만 자신도 모르는 사이 올리버 주위를 맴돌고 있는 엘리오의 동선은 그 자체로 강력한 사랑의 신호나 다름없다. "마음을 드러내느니 차라리 죽고 말겠다"는 로맨스 소설의 한 구절을 구태여 인용하며 새초롬하게 돌아서는 엘리오의 모습은 꾹 참으면서도 미처 꼬리 흔들기를 감추지 못하는 강아지마냥 귀엽고 사랑스럽다. 놀라운 것은 이토록 은밀하고 개인적인 흔들림을 영화는 단 한 번도 입밖에 내거나 설명하지 않는 다는 점이다.

영화 〈콜 미 바이 유어 네임〉에는 보이스 오버 내레이션이 없다. 원작 『그 해, 여름 손님』은 1인칭 자기고백과 회고담으로 진행되는데 이는 소설에는 적합한 형식이지만 막상 장면으로 옮기기엔 난감하다. 그런데 각색을 맡은 제임스 아이보리는 심지어 1인칭 내레이션조차 배제한 뒤 겉과 속이 다른 소년의 행보를 오롯이 그려내는 마법을 구사한다. 영화 속 엘리오는 자신의 마음을 들킬까 일부러 올리버를 차갑게 대한다. 하지만 동시에 자신의 행동이 지나치지 않았는지, 혹여 올리버가 멀어져 버리면 어떻게 할지 내내 불안에 시달린다. 소설에서는 그 분열된 행동과 내면을 동시에 서술해버리지만 영화는 내레이션 하나 없이 그저 행동들만을 '보여준다'. 덕분에 적지 않은 관객들이 중반까지 엘리오가 올리버를 열망한다는 사실을 눈치 채지 못할지도 모른다. 하지만 이건 결함이 아니다. 오히려 이 영화의 진가, 팽팽한 긴장감과 설렘은 초중반 긴가민가하고 모호한 분위기에서 비롯된다고 볼 수도 있다. 보이지만 설명되지 않는 것들을 발견하기 위해 관객은 밝은 눈으로 인물들의 몸짓 하나 하나에 집중하게 되고 끝내 엘리오의 서툰 불안에 동조할 수 있다.

〈콜 미 바이 유어 네임〉에는 노골적인 시점 쇼트와 클로즈업도 거의 없다. 풍경을 담는데 일가견이 있는 루카 구아다니노 감독은 이탈리아 북부 평평한 대지를 담요처럼 깔아 두고, 부드럽게 굽이치는 강물이 더해 한 폭의 수채

화 같은 풍요로운 정경을 쌓아 나간다. 그 위에 자연광의 강렬하고 선명한 햇살을 얹으면 평범한 시골의 여름 풍경마저 관능적으로 변모한다. 특유의 섬세하고 강렬한 터치로 완성한 이탈리아 시골 마을은 배우들의 미묘한 떨림을 선명하게 감지할 수 있는 최상의 무대나 다름없다. 덕분에 〈콜 미 바이 유어 네임〉은 흔한 시점 쇼트와 클로즈업을 거의 쓰지 않고 인물의 실루엣과 몸짓만으로 말로 못 다한 감정들을 생생하게 전달해 나간다. 가령 엘리오와 올리버가 마주하는 장면은 눈부신 햇살부터 은은한 달빛까지 항상 빛이 넘쳐난다. 서로를 갈망하는 두 사람의 실루엣은 이로써 더욱 선명해진다. 반면 엘리오가 올리버의 질투를 유발하기 위해 사귄 여자친구 마르치아(에스더 가렐)와 밀회는 대부분 형체를 알아보기 힘들 정도로 어두운 공간에서 이뤄진다.

마지막으로 〈콜 미 바이 유어 네임〉에는 자극적인 사건과 혐오의 시선이 없다. 동성애를 다룬 영화들이 대개 동성애를 불편한 사건 취급하며 외부의 압박과 시련을 배치하는 것과 달리 이 영화에선 조금 특별한 방식의 사랑에 불과한 것처럼 다뤄진다. 동성애에 대한 저항감이 훨씬 심했던 1980년대를 배경으로 했음에도 등장인물 그 누구도 동성애를 적대하지 않고 혐오의 언어를 함부로 내뱉지 않는다. 이름 모를 이탈리아의 시골 마을은 마치 세상으로부터 격리된 낙원처럼 평화롭다. 그렇게 영화는 외적인 변수와 사건들을 다 제거하고 사랑에 빠진 두 사람, 엘리오와 올리버 두 사람의 교감에 오롯이 집중한다. 덕분에 이들의 수줍고 설레는 사랑을 온전하고 자연스러운 경험으로 관객에게 전이시킨다. 특히 영화 말미 엘리오의 아버지 펄먼의 현명한 조언은 엘리오는 물론 관객의 마음 한 구석 피어나는 불안마저 온화하게 다독이며 이들의 사랑과 지나간 여름, 다시 오지 않을 인생의 한 페이지를 축복한다.

어떤 미사여구를 동원한다 해도 〈콜 미 바이 유어 네임〉의 본질은 단순하다. 이것은 날카롭고도 충만했던 첫 사랑의 기억에 관한 영화다. 루카 구아다니노 감독은 “누군가를 순수하게 사랑할 때 얼마나 많은 것들이 바뀌는지 깨달아가는 이야기”를 통해 〈아이 엠 러브〉, 〈비거 스플래쉬〉에서 이어지는 이른 바 ‘욕망 3부작’의 마침표를 찍었다. 보는 이의 마음을 요동치게 하고 지나간 시절. 다시금 떠올리게 만드는 햇살 속의 아른거림. 그리고 사랑에 빠진 순간에 일어나는 변화들. 그렇게 영화 속 올리버의 마지막 한 마디는 첫 사랑을 겪은 모두에게 잊지 못할 마법의 주문을 남긴다. “나도 너와 같아. 나도 전부 다 기억해.”

송 경 원 _ sokimera@naver.com
한양대학교 국어국문과 졸업. 동국대학교 영상대학원 석사과정 수료. 《씨네 21》 등에 영화평론 기고. 제14회 씨네21 영화평론상 우수상. 제1회 시네마테크부산 비평공모 가작. 제2회 게임비평공모 문화체육관광부장관상 수상.

폴 토마스 앤더슨
감독

팬텀 스레드

감독 폴 토마스 앤더슨
출연 다니엘 데이 루이스, 레슬리 맨빌
각본 폴 토마스 앤더슨
제작 질리언 롱넥커, 폴 토마스 앤더슨
기획 첼시 버나드, 피터 헤슬로프, 애덤 솜너
촬영 폴 토마스 앤더슨
음악 조니 그린우드
음향 크리스토퍼 스카라보시오, 매튜 우드
편집 딜런 티케노

숨막힐 듯한 러브스토리.

거장의 숨결이 느껴지는 천의무봉의 사랑이야기.

고전적인 아름다움을 극상의 경지로.

사랑을 지탱하는 가·피학의 '밀당'을

정밀하고 전복적으로 분석하고 그려낸 영화.

— 추천위원의 선정이유 中

폴 토마스 앤더슨의 이토록 로맨틱한 사도마조히즘, 〈팬텀 스레드〉

— 폴 토마스 앤더슨 감독 **〈팬텀 스레드〉**

윤성은(영화평론가·본지 편집위원)

〈팬텀 스레드〉(Phantom Thread, 2017)는 자신이 만들어놓은 시스템 안에 군림해 살아가는 한 남성과 그 벽을 허물고 그의 세계를 바꾸어 놓고자 하는 한 여성의 이야기다. 두 남녀의 만남과 사랑, 갈등과 화해가 서사의 근간을 이룬다는 점에서 기본적으로 연애담이지만, 장르 영화의 관습을 벗어난 폴 토마스 앤더슨 감독만의 화법으로 만들어져 눈길을 끈다. 장편 데뷔작인 〈리노의 도박사〉(1996)부터 〈매그놀리아〉(1999), 〈펀치 드렁크 러브〉(2002), 〈데어 윌 비 블러드〉(2007), 〈마스터〉(2012)에 이르기까지 그간 평단의 찬사를 받아온 폴 토마스 앤더슨 작품들의 내연은 대개 프로이드의 정신분석학으로 설명할 수 있으며, 〈팬텀 스레드〉에도 그의 프로이디안적 면모는 강하게 드러나 있다. 평단의 반응과 달리 상기한 작품들이 대중들의 호응을 얻지 못했던 것은 그의 영화가 주로 비평 능력을 가진 이들, 혹은 적어도 영화의 기저까지 탐색을 시도하는 이들에게 훨씬 흥미롭기 때문이다. 따라서 영화

에 흩어져 있는 메타포를 짜맞추는데서 즐거움을 느끼지 못하는 관객들에게는 〈팬텀 스레드〉 역시 지루하거나 잔혹하거나 공감하기 어려운, 기껏해야 독특한 사랑이야기일 수밖에 없다. 그러나 뒤집어서 말하면, 〈팬텀 스레드〉 같은 작품만큼 비평을 촉구하고 그 가치를 높여주는 영화도 드물다고 할 수 있을 것이다.

〈팬텀 스레드〉는 1950년대 런던을 배경으로 두 남녀의 특수한 관계를 통해 사랑의 보편적인 사디즘(Sadism)과 마조히즘(Masochism)을 이야기하는 작품이다. 다소 충격적인 사랑의 한 방식을 폴 토마스 앤더슨은 특유의 차분하고 정교한 연출로 우아하고 세련되게 보여준다. '레이놀즈 우드콕'(다니엘 데이 루이스 분)은 왕실과 사교계 인사들의 드레스를 만드는 유명 디자이너다. 드레스가 삶의 전부인 그는 자신이 축조한 성 안에서 그에게 모든 것을 맞춰주는 누이, '시릴'(레슬리 맨빌 분)과 함께 살고 있다. 많은 직원들을 거느린 무소불위의 권력자로서 그의 성격은 영화 초반부, 아침 식사 때 자신을 방해한 연인(조한나 분)을 내보내기로 결정하는데서 잘 드러난다. 그의 숨 막히는 생활 방식과 까다로운 취향에 조금이라도 반항하는 이들은 가차 없이 이 성에서 살 자격을 박탈당하고 만다. 조한나를 내쫓기로 한 직후 그는 시골에서 새로운 뮤즈, '알마'(빅키 크리엡스 분)를 만난다. 레이놀즈가 첫 데이트에서 알마에게 들려주는 어머니를 향한 비상한 애착은 그의 모든 행동이 죽은 어머니와의 관계와 긴밀하게 연결되어 있음을 암시한다. '유령의 실'이라는 영화의 제목은 일차적으로 레이놀즈의 삶을 무의식중에 조종하고 있는 그와 어머니 사이의 보이지 않는 끈을 의미하는 것이다.

레이놀즈에게 어머니의 존재는 첫째, 처음 일을 가르쳐준 대단한 여성(quiet remarkable woman)이며 둘째, 누구와도 대체할 수 없는 정신적 연인이다. 이러한 어머니의 두 가지 의미는 그가 스스로를 결혼과 인연이 없다고 믿게 만든 요인이기도 하다. 중년이 되어서까지 양복에 어머니 사진을 넣어 다니는 레이놀즈의 여성 판타지는 어머니가 두 번째 결혼을 하던 열여섯 살 소년에 머물러 있다. 어릴 때 아버지를 잃은 레이놀즈는 오이디푸스 콤플렉스를 극복하지 못한 상태에서 다른 남자에게 어머니를 빼앗긴 채 신경증에 시달리게 된 것이다. 사진 속의 어머니, 그리고 독버섯 차를 마시고 앓아누운 레이놀즈가 마주하는 어머니의 환영이 그가 손수 바느질해 만든 웨딩드레스를 입고 있다는 사실은 그의 시간이 그 시절에 멈추어 있음을 의미한다. 따라서 레이놀즈에게 드레스를 만드는 행위는 리비도의 분출과도 같고, 그것을 여성들에게 입히는 것은 어머니를 소환하는 주술

적 의식(ritual)과도 같다. 시골 별장에서 알마와 사랑의 눈길을 주고 받던 레이놀즈가 섹스 대신 별안간 그녀의 신체 치수를 재는 장면은 그의 사랑 방식을 잘 보여준다.

한편, 시골 식당의 직원이었던 알마는 처음에 레이놀즈의 집에 함께 살게 된 것을 기뻐하면서 그의 세계에 적응해 보려 한다. 사실, 다른 성격을 가진 두 사람의 갈등은 레이놀즈가 알마의 치수를 잴 때부터 명확히 예견된다. 레이놀즈에게는 '평소의 자세'가 등을 곧게 편 상태를 말하는 것이고, 알마에게는 편안한 자세를 의미하는 만큼 둘의 간극은 크다. 그러나 알마는 레이놀즈가 이전까지 만났던 여성들과 달리 영민하게 그가 어떤 사람인지를 파악하

고 그의 마음을 얻는다. 우둔하고 못생긴 '바바라 로즈'의 결혼식에서 그녀는 눈물을 흘리며 레이놀즈의 드레스가 너무 아깝다고 말한다. 아름답고 교양 있는 여성들에게 자신의 드레스를 입혀줌으로써 완벽한 어머니의 현신을 바라는 레이놀즈에게 이만큼 감동적인 행동이 있을까. 두 사람이 바바라로부터 드레스를 빼앗아 오는 길에 나눈 키스는 〈팬텀 스레드〉에 단 두 번밖에 없는 키스신이자 처음 등장하는 키스신이다.

결정적으로 알마가 레이놀즈를 굴복하게 만든 것은 두 차례에 걸쳐 그의 몸을 고통스럽게 만드는 행위다. 알마는 레이놀즈가 육체적으로 힘들 때 아이처럼 자신에게 의지한다는 사실을 간파하고 멀어진 그와의 관계를 회복

하기 위해 기꺼이 사디스트가 됨으로써 목적을 이룬다. 아픈 레이놀즈가 어머니의 환영을 보며 혼잣말을 하고 있을 때 알마가 간호하러 들어오는 장면에서 그녀는 어머니의 지위를 차지하고 다음날 레이놀즈의 프러포즈를 받는다. 알마의 가학적 사랑이 결혼에 대한 레이놀즈의 저주를 푼 것이다. 그러나 알마의 사디즘과 레이놀즈의 마조히즘이 완벽히 합을 맞추는 것은 두 번째로 독버섯이 등장하는 장면이다. 알마를 사랑하게 된 레이놀즈는 자신의 시스템이 파괴되는 것에 대한 불안감에 사로잡혀 조한나처럼 그녀를 내보내고자 한다. 그러자 알마는 은밀하고 조심스러웠던 첫 번째 시도와 달리 요란하게 독버섯 오믈렛을 만들어 식탁에 올려놓는다. 그 모습을 의미심장한 눈길로 바라보던 레이놀즈는 그 요리의 정체를 알면서도 그것을 삼킴으로써 알마에 대한 자신의 사랑을 증명한다. 7분 동안 지속되는 이 식사 신은 전체 서사에서의 의미상 비중도 크지만 터질 듯한 긴장감을 이끌어내, 연출적으로도 압권이라고 할 수 있다. 그리고 영화 오프닝에 등장한 "레이놀즈는 내 꿈(dream)을 이뤄줬어요, 대신(in return) 난 그가 가장 열망하는 걸(desires most) 줬죠. 내 전부요."라는 알마의 대사는 이 장면에서 비로소 설득력을 얻는다. 사디스트의 꿈과 마조히스트의 열망이 등가를 이루자 그들은 각자가 할일을 수행하고, 상처와 갈등을 봉합한다는 의미로 키스를 나눈다. 이로써 이들의 관계에도 유령의 실이 생긴다.

사랑을 지속하기 위해 독버섯을 먹이고 먹는 알마와 레이놀즈의 관계는 특수하다. 잔혹하고, 극단적이고, 무엇보다 비이성적이다. 그러나 〈팬텀 스레드〉의 설정 전체를 대유법으로 가정하고 사랑이라는 감정이 한 사람을 극단적으로 변화시켜 나가는 과정에 초점을 맞춘다면, 지극히 전형적인 연애담으로 분류될 수도 있을 것이다. 영화 초반에 시릴에게 죽은 사람, 곧 어머니가 자신을 지켜보고 있는 것 같은 느낌이 편안하다고 말했던 레이놀즈는 독버섯 오믈렛 신 바로 직전에 이 집에서 나는 죽음의 냄새가 너무 싫다고 소리친다. 알마를 통해서 그는 자신이 군림하는 세계가 아니라 지배당하는 세계가 얼마나 안전하고 평화로운지 깨닫고, 스스로 그녀에게 주도권을 내어준 것이다. 레이놀즈가 보여주는 변화는 사랑의 보편적 속성 안에 있는 것이며 궁극적으로 알마는 팜므 파탈이 아닌 구원자로 남는다. 그가 평생 어머니를 숭배하면서 얻지 못했던 구원을 연인에게서 얻는다는 결말은 사랑의 승리라는 주제를 설파한다. 그래서 레이놀즈가 독버섯을 먹고 알마와 키스하는 장면부터 영화의 톤 앤 매너는 로맨틱하게 반전된다. 극적인 음악과 알마의 감성적 대사들, 둘 사이에 끊임없이 오가는 사랑의 표현들은 알마와 레

이놀즈가 비로소 평등한 관계로 들어갔음을 보여준다.

이런 관점에서 〈팬텀 스레드〉는 폴 토마스 앤더슨의 방식으로 완성된 한없이 낭만적인 러브스토리다. 혹자는 쉬운 이야기를 어렵게 한다고, 허세라고 비판할지 모른다. 그러나 그의 치밀한 각본을 디코딩(decoding)하는 과정에는 묘한 쾌감과 중독성이 있다. 어쩌면 폴 토마스 앤더슨의 영화들 자체가 사도마조히즘을 유발시키기 때문일 것이다. 아무렴 어떤가. 영화와 관객의 관계가 해피엔딩으로 끝난다면 충분히 경험해 볼만한 가치가 있다.

윤 성 은 _ amee9@naver.com

영화학 박사. 2011년 영평상 신인평론상 수상 이후 다양한 매체를 오가며 영화평론가로 활동하고 있다. 2015년 《공연과 리뷰》 PAF 평론상 수상.

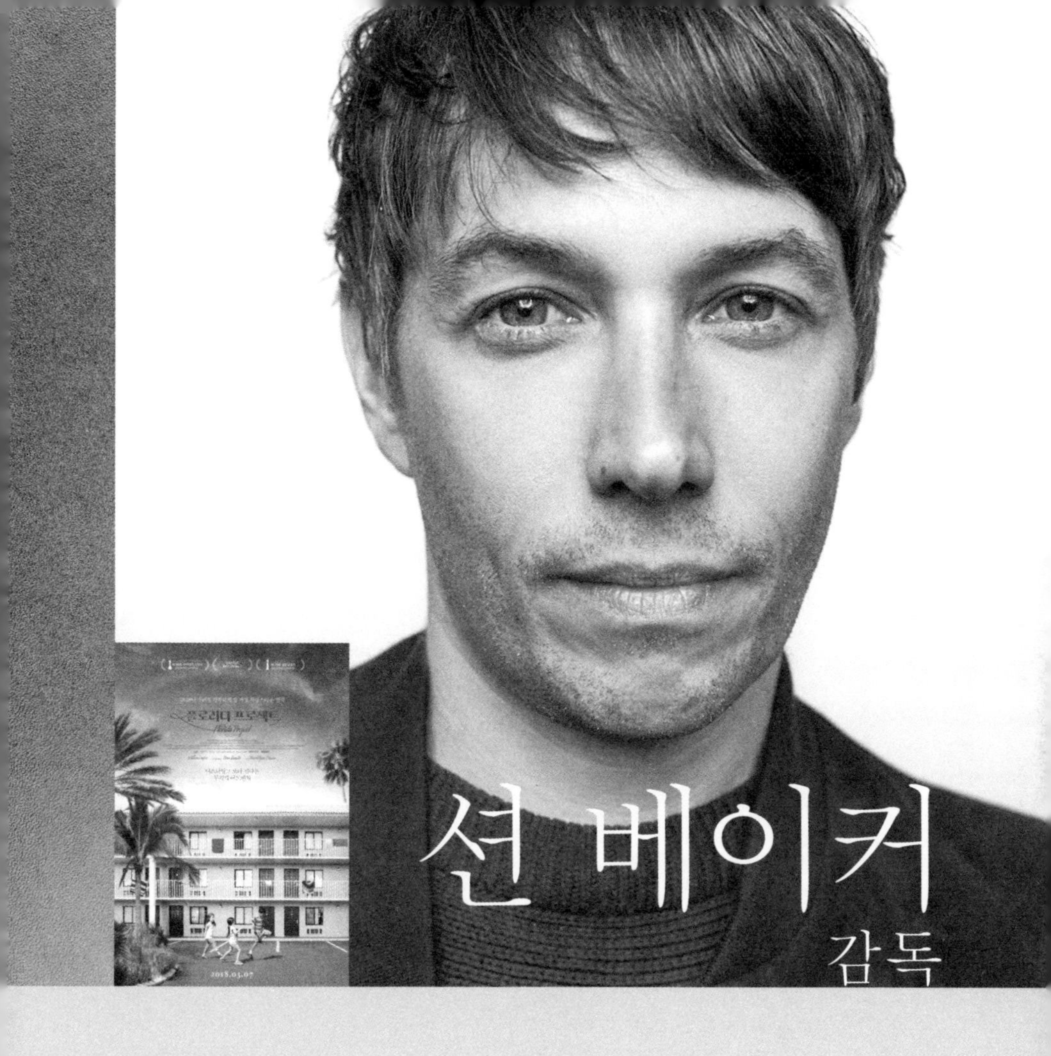

션 베이커 감독

플로리다 프로젝트

감독 션 베이커
출연 윌렘 데포, 브루클린 프린스
각본 션 베이커, 크리스 베르고흐
제작 션 베이커, 크리스 베르고흐
기획 대런 딘, 일레인 슈나이더만
촬영 알렉시스 자베
음악 론 발피
편집 션 베이커

디즈니로 윤색시킬 수 없는 유년의 맨얼굴.
영화는 아동성추행이나 성매매 같은
선정적인 장면을 직접 묘사하지 않으면서도,
이에 대한 경각심이나 고발을 충분히 수행하며,
균형잡힌 비판의식까지 전달하는 윤리를 보여준다.

— 추천위원의 선정이유 中

‘이상한 나라의 앨리스’를 다큐멘터리로 찍는다면

— 션 베이커 감독 **〈플로리다 프로젝트〉**

이태훈(조선일보 문화부 차장)

“웃음은 세월에도 변치 않고, 상상력은 나이를 먹지 않으며, 꿈은 영원하다”고 월트 디즈니는 말했다. 디즈니랜드의 슬로건은 ‘세상에서 가장 행복한 곳’이고, 이 테마파크의 상징인 신데렐라의 성 ‘매직 캐슬’을 중심으로 펼쳐지는 ‘매직 킹덤’의 별명은 ‘세상에서 가장 마법같은 곳’이다.

영화 〈플로리다 프로젝트〉(감독 션 베이커)의 여섯살 소녀 ‘무니’는 플로리다 디즈니월드 근처 어딘가, 파스텔톤 보라색 모텔 ‘매직캐슬’에서 엄마 ‘헤일리’와 둘이서 살아간다. 이 모텔의 그럴듯한 이름과 외양은 사실 동네 양아치의 허세 비슷한 것이다. 모텔엔 투숙객보다 ‘주민’이 더 많고, 대부분은 집도 제대로 된 일자리도 없이 일수 찍듯 방값을 버텨내며 근근히 살아가는 사람들이다. 디즈니랜드가 상상력과 돈의 짝짓기로 빚어낸 상업적 판타지의 진경眞境이라면, 모텔 매직캐슬은 그 소비의 구정물이 흘러드는 하수구에 위태롭게 떠 있는 종이배 같다. 월트 디즈니가 남긴 말이 무색하게도, 이곳에서 웃음

은 쉽게 시간에 깎여 나가며, 상상력은 쉬이 늙고, 꿈은 무참하고 간단히 짓밟힌다.

울기 직전 어른의 표정을 아는 소녀

무니와 모텔의 어린 망나니들은 난간에서 주차된 차를 향해 침뱉기 내기를 벌인다. 4차선 도로를 무단횡단하고, 무료 배급 음식을 빼돌리며, 버려진 집에 돌멩이를 던져 유리창을 깨뜨리다 불까지 지른다. 그래도 엄마 헤일리는 되바라진 말썽꾼 딸 무니를 끔찍히 사랑한다. 이 대책없는 모녀는 그저 사람답게 살기를 꿈꾸지만 사회안전망의 그물코는 이들을 거두기엔 너무 헐겁다. 낙오된 홀엄마에게 홀로 설 기회는 잘 오지 않는다. 이렇게는 오래 버티지 못할 거라는 걸 모두 알고 있다.

필연적으로 이야기는 너무 일찍 어른의 세계를 이해하게 된 소녀의 성장

담이자, 가장 부유한 나라 미국 하층민의 삶을 담대하게 잘라 들여다보는 단면도가 된다. 그 안엔 대개의 날들이 시궁창을 닮은 보통사람의 인생과, 잠깐씩 구원처럼 빛나는 사소한 선의善意, 그보다 더 사소하지만 생의 의지를 날려버리기에 충분한 타인의 악의惡意가 있다. 이 모든 이야기를 솜씨좋게 담아내면서도, 영화는 아련하고 아름다운 동화같아서 더 참혹하게 보는 이의 가슴을 저며 놓는다.

모텔 침대 리얼리즘

1960년대 영국의 브리티시 뉴웨이브 영화들은 구질구질한 부엌에 새겨진 노동계급의 삶을 주목했다. 땟국물 후줄근한 싱크대에 번잡하게 쌓아올린 설거지 그릇은 노동계급의 삶의 조건을 짐작케 하는 시대의 은유였고, '키친

싱크 리얼리즘'으로 불렸다. 켄 로치는 브리티시 뉴웨이브의 끝자락에서 걸작 〈케스〉를 만들어냈다. 절실함과 강도의 차이는 있지만, 스티븐 달드리의 〈빌리 엘리어트〉나 마이크 리의 〈세상의 모든 계절〉 같은 영화들에 여전히 그 맥락이 이어진다. 이 영화들은 괴로우면서도 즐겁고, 재미있지만 지켜보기 힘들었다.

〈플로리다 프로젝트〉는 그런 영국적 전통의 미국적인 변형 같은 냄새를 풍긴다. 영국 지방 공업도시 공장 노동자의 퀴퀴한 부엌 냄새는 이 영화에서 모녀가 뒹굴며 시간을 보내는 모텔 침대의 눅눅한 냄새로 바뀌었다. 다만 이 모녀의 '모텔침대 리얼리즘'은 영국의 '앵그리 영 맨'들처럼 세상을 향해 날선 분노를 드러내는 대신 아이의 눈높이에서 응시하는 쪽을 택한다. 아픈 가난과 소외의 풍경을 담으면서도, 값싼 동정을 유발하는 '빈곤 포르노'의 함정을 피해 갈 수 있었던 것은 이 눈높이의 덕이다. 〈탠저린〉 같은 수작을 꾸준히 만들어온 션 베이커 감독은 영리하다. 가치판단을 개입시키는 대신 줄곧 어린아이의 시선으로 바라보는 방식으로 평균대 위를 걷듯 연출의 균형 감각을 지켜낸다. 감독의 시선은 줄곧 자신의 존재를 규정하게 될 가난과 사회적 위치에 대한 자각을 갖기엔 아직 어린 소녀 무니의 시야를 좇는다.

사회의 가장자리, 뒤엉키는 현실과 판타지

잔인한 현실과 달리 이 키치 취향 보라색 모텔과 무니 모녀는 때때로 아름답다. 해질녘 어둑어둑할 때 난간을 짚고 선 모텔 관리인 '바비'(윌리엄 데포)가 담뱃불을 붙이면, 거뭇하던 복도를 밝히며 노란 복도등이 차례차례 불을 밝힌다. 바비의 선의善意는 기댈 데 없는 모녀의 삶을 잠깐씩 밝히는 빛이고, 윌리엄 데포의 품격 있는 연기는 영화를 지탱하는 굵은 기둥이다. 골프장 앞에서 향수를 팔던 모녀가 모텔로 돌아오는 길, 아이스크림 사달라 보채는 무니를 엄마가 업으면 붉은 노을과 모녀의 검은 그림자가 한 폭의 그림같다. 핑크색 모텔 '퓨처월드'에 사는 무니의 단짝 친구 소녀 젠시를 위해 강변에서 생일 축하 노래를 부를 땐, 디즈니월드의 야간 불꽃놀이가 축포처럼 밤하늘을 밝힌다. 이 영화의 가장 아름다운 장면들 중 하나다. 무니는 디즈니월드의 그림자 속에 사는 허깨비 같은 이 공간을 허클베리핀처럼 누비고 다닌다. 욕쟁이에 말 안듣고 예의없는 아이지만 무니를 탓하기는 어렵다. 이 영화에선 딸 무니 눈높이의 세계와 엄마 헤일리가 사는 잔인한 현실이 자주 충돌하며 정서적 아이러니의 바닥을 다진다.

영화의 분노와 슬픔은 등장인물을 통해 스크린에 드러나는 것이 아니라, 관객 각자의 가슴에서 스며나오며 증폭된다. 부하직원의 실수로 첫날밤을 모텔 매직캐슬에서 보내게 된 신혼부부를 지켜보던 무니는 단짝 소년 스쿠티에게 말한다. "근데 저 여자 불쌍해. 곧 울 것 같아. 난 어른이 울 것 같으면 금방 알거든." 어른의 눈물을 줄곧 지켜봐온 이 아이는 '왜 피자에 페페로니가 없냐'고 불평하다가도, 방값을 내야 한다는 엄마 말에 금세 수긍해 버린다. 엄마가 끝내 인터넷으로 성매매까지 하게 되며 낯선 남자가 모텔방으로 찾아오고, '아저씨 또 오줌 마렵대?' 하고 무니가 물어볼 때, 관객의 가슴은 무너져 내린다. 엉성하게 뒤엉킨 커다란 나무 위에서 무니는 말한다. "나는 이 나무를 가장 좋아해. 땅바닥에 쓰러졌는데도 계속해서 자라거든." 무니는 쓰러져도 계속 자라는 나무 같다. 그래서 관객의 가슴에 스며나오는 슬픔의 농도도 더 높아진다.

부자 나라의 가난한 사람들

아리스토텔레스는 "도시(polis)를 벗어나 홀로 존재할 수 있는 자는 천사나 짐승 밖에 없다"고 했다. 천사는 불멸의 존재이고, 후자는 자신이 사멸하는

존재임을 인식하지 못한다. 보통사람들이 사는 도시에 섞여 살 수 없어 꿈의 도시 디즈니월드 외곽에 살아가는 헤일리와 무니 모녀의 모습에선 천사와 짐승이 함께 보인다. 가장 부유한 나라 미국도 모녀를 품어 안지는 못한다. 미국 언론과 평단이 이 영화에 후한 점수를 준 것은, 이 영화가 미국이 처한 현실을 극적으로 반영하고 있기 때문이기도 하다.

디즈니월드가 있는 플로리다의 빈부격차는 미국에서도 악명 높다. 미 인구조사국 2017년 통계에 따르면, 미국의 대도시 25곳 가운데 가구소득 중간값이 가장 낮은 도시가 탬파베이, 꼴찌에서 두번째가 탬파, 세번째가 올란도였다. 모두 플로리다주에 있다. 2017년 2월 조사에 따르면, 플로리다는 여전히 전체 가구의 45%가 '근로빈곤층'으로 분류됐다. 소득으로 기본적 생필품

이나 건강보험, 교통비나 집세 등을 감당할 수 없다는 뜻이다. "세상에서 가장 행복한 곳"이라는 디즈니랜드에서 일하는 사람들도 마찬가지. 2018년 발표된 한 보고서는 약 3만 명의 디즈니랜드 근로자 가운데 85%가 시간당 15달러에 못 미치는 임금을 받고 있는 것으로 추산했다. 음식이나 숙소 건강보험 등 기본적인 생활을 감당할 수 없는 수준의 수입이다.

헤일리와 무녀를 막다른 골목으로 몰아넣은 경제적 불평등은 전지구적 현상이다. 이 매우 미국적인 영화 〈플로리다 프로젝트〉가 언어와 지역을 넘어 공감을 일으키는 힘이 있다면, 그것은 많은 사람들이 영화의 저변에 낮은 음조로 깔려 있는 불평등과 빈곤을 주변에서 더 자주 더 깊이 보게 되었기 때문일 것이다.

현실의 잔인함을 뛰어넘는 판타지

현실은 예정된 비극적 결말을 향해 내달린다. 젠시의 집 앞, 엄마와 자신을 떼어놓으려는 주정부 아동가족부 공무원들에게서 도망쳐온 무니는 한참을 눈물만 흘리며 서 있었다. "우린 제일 좋은 단짝인데…. 다시는 못 보게 될지도 몰라…." 그때, 내내 무니의 뒤를 졸졸 따라다니기만 했던 젠시가 처음 친구의 손을 잡아 끈다. 둘은 달리고 또 달린다. 카메라는 달려가는 아이들의 허리 높이에서 놀라 쳐다보는 어른들의 시선을 받으며 디즈니월드 속으로 뛰어든다. 멀리 매직캐슬이 보이고, 사람들 사이로 두 소녀가 묻히기 직전까지.

이 영화의 엔딩은 꽃이 피어나는 과정이나 벌새의 비행을 초고속으로 촬영한 화면을 보는 듯한 카메라워크로 마지막 메시지를 뿜어낸다. 어른에게 어른의 사정이 있다면, 아이들에게는 아이들만의 논리가 있는 것이다. 똑똑한 어른들이 합리와 이성으로 펼쳐놓은 지옥 같은 세상을 두 아이는 꼭 맞잡은 손의 따뜻함으로, 어른은 흉내낼 수 없는 공감의 힘으로 헤쳐나갈 것이다. 이 전율의 엔딩으로 〈플로리다 프로젝트〉는 의미와 형식 두 측면 모두에서 독보적 영화적 성취에 도달한다. 이 영화는, 어쩌면 다큐멘터리로 찍은 이 시대의 '이상한 나라의 앨리스'일 것이다.

이 태 훈 _ libra@chosun.com

《조선일보》 문화부 기자. 종교, 미술, 영화 등을 담당했고, 현재는 공연 담당.

'2019 오늘의 영화' 수상작
〈버닝〉의 **이창동 감독** 인터뷰

"이 영화가 관객들에게 감각적으로 와닿는, 새로운 영화적 체험을 주는 작품이길 바랐어요."

이창동 감독

때_2019년 1월 3일 **곳**_파인하우스필름

인터뷰어_윤성은(영화평론가) **사진**_김창율(스포츠코리아 대표)

작년 5월 칸영화제에서 〈버닝〉이 공개되었을 때, 필자를 비롯한 현지의 영화 관계자들은 모두 이번에 한국영화계에 좋은 소식이 있을 거라고 확신했다. 영화는 세련되고 심오했으며 새로운 영화적 체험을 선사하는 작품이었다. 외신과 바이어들의 관심도 〈버닝〉에 집중되어 있었고, 잔치 분위기는 무르익어 가고 있었다. 그래서 수상 불발 소식이 전해졌을 때의 충격과 슬픔은 말할 수 없이 컸다. 그날 오후, 이창동 감독은 칸에 있던 한국 영화 관계자들을 모아 식사를 대접하면서 당신은 마음이 편하다고 오히려 위로했다. 그 감동적인 시간에 겉으로는 웃으면서 속으로 눈물을 삼켰던 사람이 나뿐만은 아니었을 것이다.

그 후, 약 8개월 만에 이창동 감독을 파인하우스 사무실에서 만났다. 처음에는 세계적인 거장을 인터뷰한다는 긴장과 부담이 앞섰지만, 영화와 문학과 시대와 인간에 대한 그의 이야기를 듣는 동안 희열과 흥분이 다른 감정을 완전히 압도했다.

윤성은(이하 윤): 우선, 작가가 선정한 오늘의 영화상을 수상하게 되신 것을 진심으로 축하드립니다. 오늘의 영화상은 2006년도에 시작해서 올해로 14회째를 맞고 있는데요, 이번 수상으로 감독님이 최다 수상자가 되셨습니다.

이창동(이하 이): 영화를 별로 많이 만들지도 않았는데. (웃음)

윤: 2008년도에 〈밀양〉으로, 2011년도에 〈시〉로 수상하신데 이어 세 번째 수상이세요. 수상소감이랄지, 의미를 부여해 주신다면요?

이: 〈버닝〉은 뭐라고 할까, 좀 논쟁적인 작품이랄까. 제 나름대로는 영화라는 매체를 받아들이는 우리의 관습이나 고정관념에 대해 질문하는 영화였기 때문에, 관객들이 낯설게 받아들일 수도 있고, 심지어 거부감을 느낄 수도 있을 거라고 생각했어요. 아시다시피 영화 개봉 당시에는, 특히 국내에서

는 그런 분위기가 강했구요. 그런데 연말에 와서 인정이랄지, 이런 평가를 받는 게 고맙기도 하지만 좀 어색하기도 해요. (웃음)

8년 만에 신작을 내놓다.

윤: 8년만의 신작을 처음으로 디지털 카메라로 찍으셨죠. 영화 제작 환경의 변화도 느끼셨을 것 같고, 그 환경의 변화는 미학적인 부분까지도 영향을 미쳤을거라고 생각하는데, 이번에 현장에서 느꼈던 점들이 궁금합니다.

이: 후반작업에서의 디지털 작업, 즉 D.I 작업은 〈밀양〉 때부터 해왔기 때문에 지금 말씀하신 기술적인 변화는 그때부터 경험했던 것이구요. 필름 카메라가 아니라 디지털 카메라로 찍었다는 점은 달라졌죠. 영화의 기술적인

발전은 영화 작업을 대중화시켰는데요, 그래서 오히려 기술이 중요하지 않게 되어 버렸죠. 왜냐하면 필름으로 영화를 만들 때는 최소한의 기술 습득이 꽤 어렵고, 그걸 수행하기 위해서 자본이나 인력 등의 토대가 필요했거든요. 그런데 지금은 누구나 카메라를 들고, 심지어는 아이폰을 가지고도 영화를 찍을 수 있는 시대가 되었기 때문에 오히려 영화의 본질이 더 중요해 진거죠. 그러면 우리가 영화의 본질에 대해서 기술의 발전만큼 고민하고 있느냐 하면, 저는 다소 회의적입니다. 세계적인 추세인 것 같아요. 기술의 발전을 만끽하고 있다고 할까요. 그러면서 영화 매체가 가지고 있는 본질적인 힘이 간과되면서, 장기적으로는 관객들이 영화에 대한 매력을 잃어버리게 되지는 않을까 하는 우려도 있어요.

윤: 말씀을 들으면서 2018년 겨울 시즌에 개봉한 한국 블록버스터들 상당수가 관객들에게 외면당했던 일들이 떠오릅니다. 저는 그 영화들의 흥행 실패 요인 중 하나가 캐릭터나 플롯은 기존에 성공한 상업영화들의 관습에만 의존하고, 화려한 시각효과에 치중했기 때문으로 보고 있거든요.

이: 근데 영화라는 매체가 참 만만치 않은게요, 문제에 대한 원인이나 처방을 찾는 게 그렇게 단순하지 않은 경우가 많죠. 일반적으로 블록버스터가 성공확률이 더 높다는 고정관념이 있구요, 블록버스터는 어떠해야 한다는 또 다른 고정관념이 또 있잖아요. 블록버스터는 새로워지기가 사실 쉽지 않거든요. 성공 모델만 그대로 따라가면서 관객들이 점점 실망하는 경우가 많은데, 그렇다고 새로운 시도를 하면 또 관객들이 쉽게 받아들이지 못하죠. 제가 보기에는 블록버스터가 실험적이기는 어려우므로 더 적은 예산으로 좀 더 실험적이고 도전적인 영화들이 나와서 그것이 자극을 주고, 주류 영화에 편입이 되고 그런 과정을 거쳐야 하는데, 지금 우리 영화계의 전반적인 취향

은 매우 협소해져 있는 것 같아요. 그래서 〈버닝〉 같은 영화도, 예상은 했지만, 포용되지 못했던 거구요. 관객이든 영화 종사자든 미디어든 평자든 다 비슷하다고 봅니다. 큰 차이가 없어요. 오랜만에 연출을 하면서 체감한 건데, 다들 새로운 것, 도전적인 것에 대한 거부감이 있는 거예요. 그건 꽤 놀랄 만한 일이죠. 이런 상황에서 블록버스터만 재밌는 영화가 나오길 기대한다는 건 어려운 일입니다. 가장 새로워지기 힘든 장르니까요.

윤: '취향존중'이라는 말이 유행하는 것은 거꾸로 취향이 너무 존중되지 않는 사회, 시대이기 때문이라는 생각도 드네요. 저도 우선 30억대에서 50억대의 영화들에서 신선하고 도전적인 작업들이 많이 나오기를 바라고 있습니다.

〈버닝〉은 세계적인 작가 무라카미 하루키의 단편, 「헛간을 태우다」를 원작으로 하고 있는데요, 영화를 만드시기 전에 무라카미 하루키의 작품에 대해 어떻게 생각하셨는지 궁금합니다. 왜냐하면 저는 그의 단편이나 에세이는 좋아하지만 장편은 명성만큼 대단하다고 생각하지는 않거든요.

이: 저 개인적으로나 한국문학사적으로나 무라카미 하루키는 특별한 존재죠. 그냥 단순히 인기가 많은, 명성이 있는, 영향력이 큰 작가다 라고만 할 수는 없는 작가입니다. 지금까지 그런 정도의 특별한 의미를 지니고 있는 작가는 거의 없었죠. 아시다시피 하루키 현상이라는 게 90년대 초에 시작되었잖아요. 한국문학을 하는 사람들에게는 80년대 내내 문학의 효용 가치, 문학의 사회적 책무에 대한 내적 고민이랄까 고뇌랄까 이런 게 계속 있었어요. 우리 현실에 구체적인 모순이 있고, 어떤 절대악 같은 대상이 있을 때 문학이 뭘 해야 하는가 하는 것은 저 같은 80년대 작가들은 태생적으로 안고 있었던 질문이죠. 그러니까 작가가 내적 검열을 할 수밖에 없는 시대였어요. 작가의 상상력이나 감수성의 자유로움보다 얼마만큼 사회 변화에 도움이 되는 소설인가가 중요했죠.

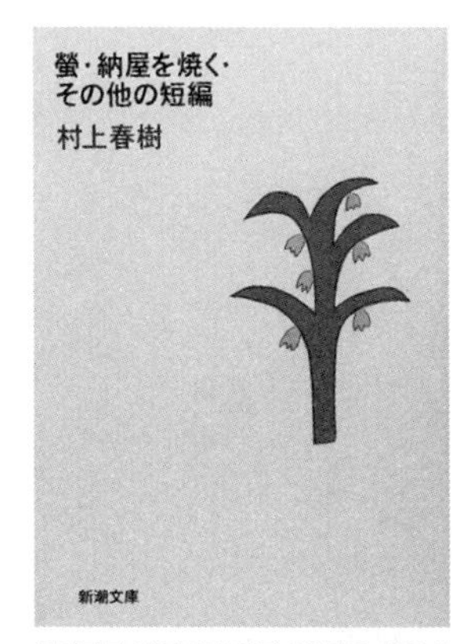

무라카미 하루키의 단편, 「헛간을 태우다」

그러다가 90년대에 들어오면서 갑자기 하루키 바람이 시작되었거든요. 대학가, 젊은 세대들, 지식인들을 기점으로 시작되었는데, 지금까지의 이념 갈등 문제에서 벗어나서 좀 더 다른 삶의 자유로움을 추구하고 다른 방식의 삶을 누리고자 하는 내적 욕구의 발현이었다고 봐요. 한국에서만 무라카미 하루키를 '하루키'라고 부르는데요, 저는 예전부터 '무라카미'라고 불렀습니다만, '하루키'는 단순한 호칭이 아니라 일반명사가 된 애칭이죠. 당시 한국인들에게 새로운 삶의 방식을 추구하고자 하는 욕구는 하나의 문화적 현상이었어요. 그게 따지고 보면 별 것도 아닌데 한국에는 그런 생활이 너무 늦게 찾아왔으니까요. 하루키가 그 욕구의 섭정이 된 거죠. 파스타를 만들어 먹고, 재즈 음악을 듣고, 조깅을 하고… 우리에게 작가나 예술가는 그런 이미지가 아니었거든요. 조깅이 웬 말입니까. 길거리에 최루탄이 날아다니는데.

어찌됐든 그의 문학은 그 이상의 기호나 문화로 받아들여졌기 때문에 있는 그대로 이야기하기가 어렵게 되어 버렸다고 생각합니다. 여기서 제게 무라카미에 대한 거부감이 있었다는 사실을 말씀드리지 않을 수 없겠네요. 왜냐하면 저는 80년대 현실의 변화와 문학에 대해 치열하게 고민했던 작가군의 한 사람이었고, 제 자신의 능력이나 문학의 역할에 대해서 심각하게 좌절을 겪었던 사람이거든요. 그건 영화를 하게 된 이유이기도 했구요. 그러니까 제가 보기에는 세상이 바뀌지 않았는데, 갑자기 세상이 바뀐 듯이 문학적, 예술적 담론들이 효용 가치가 떨어진 것으로 보는 분위기는 받아들이기 어려웠죠. 그러니까 진지한 것보다 쿨한 것, 세련된 뭔가를 추구하는 삶의 방식의 상징이 된 무라카미의 문학에 일정한 편견을 갖지 않기는 쉽지 않았죠. 그럼에도 불구하고 그의 작품들은 지금 우리가 살고 있는 세상에 대한 그만의 문학적 대응이라고 생각해요. 그런 점에서 영화의 원작을 받아들이는 연출가의 입장에서도, 문학을 하는 입장에서도 과거와 다른 그의 문학적 대응 방식, 독자들에게 수용되고 있는 방식, 왜 광범위한 독자들의 호응을 얻고 있는가는 깊이 따져볼 만한 부분이죠.

윤: 무라카미 하루키의 문학에 대한 시각을 말씀해주셨는데, 그렇다면 〈버닝〉은 적확하게 각색된 작품이라는 생각이 듭니다. 감독님이 영화 언어를 원작의 플롯과 캐릭터에 맞춰주신 것 같아요. 영화에 대한 총론이 될 수 있을 것 같아서 〈버닝〉의 반응에 대해 질문을 드리고 싶습니다. 저는 지금도 칸영화제 당시를 많이 회상하는데요. 〈버닝〉이 공개된 후 현지의 반응이 너무 뜨거웠기 때문에 수상 불발 소식을 들었을 때 실망, 좌절감도 더 컸던 것 같습니다.

그런데 국내관객들의 반응이 엇갈리는 것이 흥미로웠습니다. 제가 〈버닝〉에서 본 것은 동시대 한국의 청춘들, 젊은 세대들의 보이지 않는 불안과 존재론적 고민이라고 생각했는데, 오히려 외국에서 호평을 받는 걸 보면 이 주제가 확장성이 크다는 의미일까요?

이: 외국에서의 반응이 제 예상보다 뜨거웠다면 국내 반응은 제 예상보다 '훨씬', 차가웠습니다. 좀 의아했죠. 싫어할 수는 있지만 나름의 시도와 고민이 있고, 질문을 던진 영화기 때문에 심하게 공격이나 비판할 영화는 아니라고 생각했거든요. 그래서 비아냥을 넘어 분노하는 반응들을 보면서 순수하게 그 이유가 궁금했어요. 〈버닝〉이 '분노'에 관한 영화라서 그런 걸까. (웃음)

저는 아주 단순하게는, 〈버닝〉이 아트하우스에 걸리는 영화라는 전제하에 한국 관객과 외국 관객의 반응이 냉탕과 열탕만큼 차이가 나는 것은 감수성의 차이 때문이 아닐까 싶어요. 〈버닝〉이 여러 겹의 질문을 담고 있는 영화고, 해답을 주지 않는 영화이기는 하지만 관객과 관념놀이를 하기 위한 작품은 아니거든요. 저는 만들 때부터 지금까지 이 영화가 관객이 느끼고 체험하는, 감각적으로 와 닿고 감수성에 호소하는 영화이길 바랐어요. 그런데 느끼지 않거나 느끼지 못하면 극장에서 어려운 시험 문제를 푸는 기분일 테니까 좋아하기 어렵죠. 감각이 단순화된 경향, 혹은 느끼기를 거부하는 경향이 있지 않나 그런 생각이 듭니다.

어쩌면 세상을 바라보는 시선의 문제일지도 모르는데요, 그게 제가 분노와 관계 있지 않을까 의심해 보는 부분입니다. 사는 게 힘든데, 그럴 때 사람들은 적이 있어야 해요. 무엇 때문에 내가 힘들다 라는 핑계라도 생기니까요. 그런데 〈버닝〉은 그 대상을 보여주지 않고 질문만 던지니까 기분 나쁘죠. 그런 사례들을 많이 봤는데요, 영화에 등장하는 몇몇 디테일을 관객들은 기호로 받아들여요. 거기에는 원관념이 있잖아요. 그런데 〈버닝〉은 그 원관념을 부정하는 영화거든요. 사람들이 관습적으로 쉽게 생각할 만한 기호를 주지만, 그걸 의심하게 하는 거죠. 실재하는 건지 아닌지. 그렇게 기호가 배반되거나 부정될 때 화가 나고 실망하기 시작하면서 영화를 보는 내내 계속 쌓인 게 아닐까. 제 나름대로의 분석입니다.

해미와 종수와 벤

윤: 이제 영화의 주축을 이루는 세 인물에 대해 이야기 해보고 싶습니다. 저는 해미라는 인물이 가장 흥미로웠어요. 어떤 평자들은 해미가 신비주의적으로 대상화되고 있다고도 말하고, 왜 중간에 사라지느냐, 소모적으로 사

용했느냐는 비판도 하지만 저는 동의하기 어렵습니다. 해미는 내레이터 모델에 대한 남들의 시선이 어떻든 자기가 좋아하는 일을 하고 있고, 그레이트 헝거를 만나기 위해 아프리카에 가기도 하고, 노을을 보며 즉흥적으로 춤을 추기도 하는 인물이니까요. 다른 남성 캐릭터들보다 비전형적이에요. 감독님이 생각하시는 해미는 어떤 존재인가요?

이: 해미에 대한 다양한 시각은 그럴 수 있다고 봐요. 서사적으로 여성이 사라지고, 그 여성을 찾는 이야기는 그리스 로마 신화 때부터 지금까지 사용되는 전형적인 플롯이죠. 그런데 이 영화는 그 서사에 대한 질문을 던지는 영화거든요. 사라진 여성이 죽어서 발견되든, 어디 도망가 있든, 결론이 있는 서사가 아니고 그 여성이 누구냐 라는 질문을 따라가는 영화예요. 해미는 그레이트 헝거를 좇는, 삶의 의미와 자기만의 자유를 추구하는 사람이죠. 그건 곧 부시맨 이래 인류가 추구해온 하나의 삶의 본질 같은 거구요.

그런데 두 남성은 다른 게임을 하는 인물들이에요. 영화의 가장 근본적인 키는 해미가 가지고 있는데, 갑자기 사라져 버린 거예요. 종수는 그 키를 찾으려고 하는 거구요. 인물이 중간에 사라졌으니까 그냥 서사적으로 소모되고 있다고 생각하는 건 겉만 본 거죠. 하다못해 영화를 구조적으로 접근한다면, 왜 그렇게 사라질 인물이 영화의 중심에서 그런 춤을 추었을까요. 그 춤의 의미는 무엇이었을까요. 그 춤은 영화를 보고 난 관객들에게 가장 인상적인 이미지로 남아 있을 텐데 말이죠. 영화가 그 이상의 언어로 뭔가를 전달할 수는 없어요. 그래도 안 받아들이면 할 수 없는 거구요.

윤: 얼마 전, 한 감독님으로부터 '영화와 관객의 만남도 인연이다'라는 말을 들었는데 〈버닝〉과 인연이 없었던 관객들이었던 것 같습니다. 종수는 남자들 앞에서 옷 벗는 건 창녀들이나 하는 짓이라고 말하는 시쳇말로 '한남'(한국남자)으로서의 한계도 갖고 있지만, 재능이나 꿈이 없는 인물은 아니죠. 제가 인상적이었던 장면은 그가 해미의 집에서 섹스를 할 때, 남산타워로부터 반사된 한 줄기 빛을 보거든요. 긴장되고 집중해야 하는 상황에서 그의 눈에 한 줌의 빛이 들어왔던 건 어떤 의미였을까요?

이: 농담 삼아 말하자면, 남자들은 섹스를 하면서도 볼 건 다 봐요. (웃음) 말씀하신 그 시선이 종수의 캐릭터에 어떤 특별함을 부여할 거라고 생각하고 찍지는 않았어요. 다만 그 햇살의 존재에는 의미가 있죠. 우선, 해미가 귤 판토마임을 할 때 '있다고 생각하지 말고 없다는 걸 잊어버리면 돼.'라고 말하는데, 이 영화가 이야기하고자 하는 바를 미리 알려주는 대사이기도 하죠. 눈에 보이는 것과 실재하는 것이 다를 수 있고, 실제 있는 것과 있다고 믿는 것이 다를 수도 있고. 그런데 해미 방의 빛은 진짜 햇빛이라고 말하기는 어렵잖아요. 반사된 빛이니까. 너무나 희미해서 사실 빛인지 아닌지도 모르겠

고. 북향 방에 살고 있는 해미 삶의 고달픔을 말해주는 것이기도 하구요. 그러나 동시에 하필이면 종수가 섹스를 하는 중에 들어왔던, 해미와 하나가 됐던 순간의 그 빛은 어쩌면 그에게 로맨틱한 느낌이었을 수도 있죠.

윤: 오, 그렇게는 생각 안 해봤는데! (웃음) 그럼, 벤의 이야기를 해보죠. 영화에서 명확하게 벤의 시점으로 보여줬던 장면이 하나 있었잖아요. 자기 집에서 여자친구에게 화장을 해주는 부분이었는데요, 관객 입장에서는 좀 당황스러웠죠. 시점이 바뀐다는 건 감정을 이입해야 할 대상이 달라지는 것이니까요. 그 장면 때문에 벤이 사이코패스가 아닌가 하는 심증이 커지기도 했구요.

이: 그 장면은 앞뒤 장면들과 연결해서 보아야 합니다. 종수가 글을 쓰는데 카메라의 위치가 초월적인 존재처럼 밖으로 빠지고, 벤의 시점이 등장한 후 그 다음 장면에서 살해될 때까지 연결돼요. 카메라가 글을 쓰고 있는 해미의 집에서 빠져나오고 부암동 쪽에서 바라보는 용산 일대, 각각의 삶과 각각의

이야기가 살아있을 것 같은 서울의 수많은 고만고만한 집들과 건물들 전경을 보여주면서 뭔가 마무리되는 듯한 느낌이 있길 바랐구요. 그 다음엔 어쩌면 다른 이야기가 시작되는 듯한 느낌을 주길 바랐죠. 그 다른 이야기가 무엇인지는 여러 가지로 해석할 수 있을 거예요. 종수가 쓴 소설의 한 부분일 수도 있구요. 그래서 약간의 장르적인 느낌도 주길 바랐어요. 사이코패스처럼 느껴졌다고 하신 것도 장르적인 관습 때문이잖아요. 관객이 느끼는 게 자연스러운 것일 수도 있고, 관습적인 생각을 따라가는 것일 수도 있다, 또는 관객들 각자가 원하는 서사를 원하는 대로 받아들이는 것일 수도 있다는 이야기를 던지고 싶었습니다.

윤: 종수가 벤을 쫓아다니다가 벤이 호수를 보는 장면도 나옵니다. 이 장면은 현실인 듯 꿈인 듯 모호하게 그려지고 있는데요, 벤이 멋있게 호수를 바라보고 있는 모습을 포르셰를 가운데 두고 종수가 엿보게 되죠. 여기서 벤은 또 다른 사람으로 보여요. 해미처럼 삶의 의미를 추구하는 사람은 아닐까 하는.

이: 영화의 후반부는 종수가 벤을 추적하는 구조로 되어 있습니다. 그날의 추적은 집 앞에서부터 성당, 갤러리 레스토랑을 거쳐서 저수지까지 가는 길인데요, 그 추적의 끝은 '아무것도 없다'라는 겁니다. '공허'랄까요. 그냥 '없다'가 아니라 너무 평온하고, 평화로운 '공空'이 죠. 그럼에도 그렇게 표면적으로만 받아들일 수만은 없는 평온이에요. 저수지 안에 뭐가 들어 있을지 모르듯이요. 이런 비슷한 코드가 영화에서 우물도 있잖아요. 우물도 실제 있었는지 없었는지, 우물에 빠졌다는 것이 뭘 의미하는 건지 모르죠. 저수지도 우물처럼 물을 담고 있는 어떤 것인데, 더 크고 무엇을 품고 있는지 알 수 없는 공간으로서 유사한 이미지가 있는 거죠.

윤: 그 장면에서 평온과 공허는 영화의 분위기가 전달하는 느낌이지만, 종수의 분노 게이지는 높아지고 있었죠.

이: 현실인지 비현실인지 모른다 하더라도 마지막에서 종수의 분노는 폭발하죠. 왜 폭발할 수밖에 없냐 하면 모르기 때문에, 범인인 게 확실하면 고발을 하든 뭘 하든 다른 방법을 택했겠지만 알 수 없다는 것이 분노하게 만드는 거죠.

저는 요즘 젊은이들의 분노 게이지가 높다고 생각해요. 그 분노의 문제는 대상을 알 수 없다는데 있어요. 우리 때는 안 그랬거든요. 분노가 일상화되어 있었고, 분노를 표출하는 게 삶의 나름의 이유였어요. 그게 독재정권을 향한 것이든 가진 자를 향한 것이든 경제적인 불평등을 향한 것이든 대상이 분명했고, 그 분노를 향해서 싸웠어요. 그럴 때는 사실 분노를 해도 건강에 덜 해로워요. 그런데 요즘은 세상이 너무 멋있어졌고 편리해졌고 별 문제가 없는 것 같거든요. 그래서 젊은이들이 분노를 해도 말을 할 수가 없는 게, 문제는 자기한테 있는 것 같으니까. 잘못된 것을 잘못됐다고 느끼기도 쉽지 않아요. 예를 들면 우리 때는 경제적 불평등이 사회적 이슈였고, 가진 사람들조차도 그게 나쁘다는 건 인정했어요. 요즘 불평등은 훨씬 더 심화되었고 고착화되었는데 이제는 그게 문제라는 걸 말하지 않아요. 말하면 촌스럽다고 하죠. 다들 벤이 된 거예요. 사실은 정말 벤이 아닌 사람들까지 벤처럼 생각하고 행동한다는 게 문제고요.

우연성의 포착, 그리고 음악

윤: (한숨) 슬퍼집니다. 이미 여러 인터뷰에서 언급을 하셨지만, 이 영화에서 노을과 춤의 시퀀스 이야기를 빼놓을 수는 없을 것 같습니다. 매직 아워에 찍어야 해서 하루에 두 번 정도 밖에 시도할 수 없는 장면이었죠.

이: 가능한 한 인위적인 효과 없이 영화를 찍으려고 했구요. 그게 디지털 작업의 장점이었죠. 과거에는 불가능했을 텐데요. 롱 테이크로 찍으면 가장 좋지만 그렇게 찍기엔 너무 어려운 장면이니까 불가피하다면 끊어서 갈 수도 있겠다고 생각했는데 운이 좋게도 둘째 날 오케이를 냈어요.

윤: 그 장면과 관련해서 '영화는 본질적으로 우연성을 포착하는 작업이다', '영화는 운을 맞이해야 되는 작업이다'라는 표현을 하셨더라구요. 〈버닝〉을 촬영할 때는 특히 그런 장면이 많으셨다구요.

이: 정말 운이 많이 작용했어요. 원래 영화 매체의 속성 자체가 다 설계하고 계산하고 준비한다 해도 사실은 우리 삶이 그러하듯이 그 모든 것이 운이거든요. 우리 영화는 2016년에 시나리오를 쓰고 영화를 찍으려고 했는데 저작권 협의가 잘 안되어서 1년을 연기해야 했어요. 그러면서 시나리오가 변했죠. 저작권이 빨리 해결됐으면 다른 영화가 되었을 텐데, 1년 동안 시나리오를 수정하면서 영화에 겹이 더 생겼어요. 그러면서 결정적으로 캐스팅도 바뀌어서 스티븐 연, 전종서씨가 들어왔구요. 촬영에 들어가서도 따지고 보면 다 운이죠. 다 운이에요. 전부 운이에요.

윤: (웃음) 제가 듣기로, 감독님은 현장에서 배우들의 감정을 밑바닥부터 끌어내서 잠재적 역량까지 모두 발휘하게 해주시는 분이거든요. 전작들에서 설경구, 문소리, 전도연씨의 연기를 보면 알 수 있죠. 그건 운이 아니라 스킬일 것 같은데요.

이: 그건 필요해요, 그렇게 해야죠, 감독이. 그런데 그것만으로 되는 건 아니라는 거죠. 영화는 빛을 담는 작업이잖아요. 학생들에게도 많이 했던 말인데 감독이 착각하는 게 자기가 뭐든지 다할 수 있다거나 해야 된다고 믿는

거예요. 그건 마치 자기가 신이 됐다고 믿는 것과 같아요. 영화는 현실의 우연성을 포착하는 거거든요. 아무리 많이 준비해도 촬영 당일 배우의 표정 하나, 대사의 떨림 하나, 그날의 공기, 햇살에 어른거리는 먼지까지 연출할 수는 없어요. 그런 건 우연히 오는 거예요. 그걸 어떻게 잡아내는가가 문제죠. 그런데 실제 영화 현장에서는 그럴 여유가 없어요. 그러니까 영화를 찍는다는 건 그 필연성과 우연성 사이에서 싸워야 하는 거죠. 이번 〈버닝〉은 그래도 운이 많이 따랐던 것 같아요.

윤: 〈버닝〉이 어렵다고 하는 관객들의 얘기를 들어보면, 종수에게 걸려오는 의문의 전화들, 우물이야기의 진실, 보일이의 실재, 해미의 증발과 벤의 실체 등등 해석이 열려 있는 부분들의 고리를 스스로 엮어 나가는 작업을 처음부터 거부하거나 어느 정도 시도해보다가 포기했다는 생각이 들었습니다. 부정적인 의미는 아니구요. 〈버닝〉 자체가 이야기에 관한 영화이므로, 감독님은 관객들이 자신의 경험치를 가지고 어느 정도는 각자 이야기를 만들어 나가길 원하신 게 아닐까요?

이: 그럴 수도 있죠. 영화의 여러 겹 중 하나가 서사에 대한 질문일 텐데요. 종수는 작가지망생이니까 당연히 자기가 바라보는 세상에서 이야기와 의미를 구하고 있고, 해미도 이야기를 만들어내는 인물이고, 벤도 자기한테 이야기가 있다고 해요. 대체 이야기가 뭔지, 이 영화는 어떤 이야기고, 관객들은 어떤 이야기를 기대하고 받아들이는지 이게 일종의 메타 서사일 수도 있는데, 메타 서사를 서사 밖에서 관념적으로 이야기하는 것은 아니고 서사 안에 여러 다른 트랙들이 있는 거죠. 어떤 관객은 단순하게 사라진 여성을 찾는 서사로 볼 수 있고, 상당수의 관객들은 사이코패스에게 복수하는 이야기로 볼 텐데 그건 영화라는 관습이 만들어준 서사로 받아들이는 거죠. 좌절한 청

년 세대의 분노로 볼 수도 있겠고요. 분명한 건 어떤 식으로 해석하든지 간에 완벽하게 맞춰지진 않는다는 겁니다. 그리고 완벽하게 맞춰지지 않으면 다른 트랙을 생각해 봐야 하는데, 단순히 영화에 결점이 있다고 생각해버리는 관객도 있죠. (웃음)

윤: 바로 그 지점에서 영화가 더 매력적인데 말입니다. 이제 음악에 대한 질문입니다. 이전까지 감독님 영화에 음악이 거의 사용되지 않았기 때문에 지금 한국영화계에서 가장 활발하게 활동하고 있는 모그 음악감독님과의 만남에 기대가 컸죠. 저에게 〈버닝〉은 특별한 사건이 일어나지 않는데도 끊임없이 근원적인 불안감을 추동하는 작품인데, 음악이 그런 분위기를 잘 만들어줬다고 생각합니다. 어떤 요구가 있었는지요?

이: 소음인지, 음악인지 구분이 잘 안 되는 음악. 그런 개념을 이야기했던 것 같아요. 제가 갖고 있는 이 영화의 콘셉트는 앞서 말씀드렸다시피 관객이 '영화적 체험'을 하게 만드는 거였거든요. 즉, 영화적 요소들이 어우러져서 관객의 감수성과 만나는 그런 영화이길 원했는데 그러기 위해서는 그게 하나하나 독립적으로 살아있어야만 하는 거죠. 또 그것이 그냥 관습적으로 익숙하게 받아들이는 식으로 구성되어 있어서는 안 되구요. 예를 들어 영화가 스릴러의 외양을 띠고 있다고 해도, 스릴러의 텐션을 가중시키는 기존의 방식을 배제하길 원했죠. 종수가 새벽에 달리고 있는 장면이나 벤이 아름다운 풍경을 보고 있는 장면은 서스펜스와 관계가 없는데도 불안함을 주는 것처럼 음악도 그 중 하나일 거라고 생각합니다. 음악이 예상되거나 또는 관객이 익숙하게 구상할 수 있는 어떤 것으로 사용되는 것이 아니고 그 자체로 있으면서 하나의 영화적 체험을 만드는 것, 그런 음악이길 원했죠.

다음 질문을 기다리며

윤: 마지막으로, 좀 이른 얘기지만 감독님의 다음 행보가 궁금합니다. 이번 영화는 감독님의 전작들과 다르다는 평가가 많았죠. 그 요체는 〈버닝〉에서 공동체의 윤리라든가 사회의 위악, 부도덕 등이 표면화되지 않고 끝까지 잠재되어 있다는 것일 텐데요, 저는 평자를 포함한 관객들이 감독님의 영화가 칼날을 목에 바짝 들이대서 정신을 번쩍 차리게 해주길 바랐던 것이 아닐까 생각합니다. 이창동 감독님의 다음 작품은 어떤 영화가 될까요?

이: 앞으로 어떻게 변해갈지는 저도 잘 모르겠습니다. 영화를 한 편 한 편 하면서 제 나름대로는 변하려고 노력을 해 왔는데요, 사실 늘 질문을 했어요. 〈버닝〉에서는 좀 더 다른 방식, 남들이 잘 안하는 방식의 질문을 해 본거죠. 하지만 저에게는 본질적인 것이었는데, 왜냐하면 지금 우리가 살고 있는

세상이 대체 어떤데, 거기서 우리는 어떤 영화를 만들고 어떤 이야기를 하고 있는지에 대한 질문이니까요. 혹자는 청년 세대의 구체적인 상황을 다루지 않았다고 많이 실망할진 모르지만 저로서는 그 문제의 본질을 이야기하려고 노력했던 작품이에요. 변화 중 하나를 짚어서 얘기한다면 작가(공동 각본가인 오정미 작가)가 있어서 그런지도 모르겠어요. 젊은 작가니까, 일단. 나에게 없는 시선, 나에게 없었던 감수성을 제공했을 수도 있어요. 어찌됐든 저로서는 이게 지금까지 영화를 만들면서 늘 해왔던 고민, 질문이 더 깊어진 결과라고 생각되거든요. 앞으로 제 내면이 삶과 세상과 만나면서 어떤 질문을 만나게 될지, 영화로 어떻게 나타날지 아직은 잘 모르겠습니다. 과연 이런 영화 작업을 계속할 수나 있을지 잘 모르겠고.

윤: 또 8년을 기다리진 않기를 바랍니다. 반으로 줄여주시면 안될까요. 3-4년 안에.

이: 이제 시간이 정말 아까우니까 열심히 해봐야죠.

윤: 더 깊어진 감독님의 질문을 스크린에서 만나볼 날을 기다리겠습니다. 오늘 장시간의 인터뷰, 정말 감사드립니다.

【'작가'가 선정한 오늘의 영화 】 시리즈

2006 '작가'가 선정한 오늘의 영화 _ 2006 이준익 감독 〈왕의남자〉 外
기획위원 / 강유정 김서영 강태규 신국판 / 값 9,500원

2007 '작가'가 선정한 오늘의 영화 _ 2007 김태용 감독 〈가족의 탄생〉 外
기획위원 / 강유정 이상용 황진미 신국판 / 값 9,500원

2008 '작가'가 선정한 오늘의 영화 _ 2008 이창동 감독 〈밀양〉 外
기획위원 / 유지나 강태규 설규주 신국판 / 값 10,000원

2009 '작가'가 선정한 오늘의 영화 _ 2009 장훈 감독 〈영화는 영화다〉 外
기획위원 / 유지나 전찬일 강태규 신국판 / 값 10,000원

2010 '작가'가 선정한 오늘의 영화 _ 2010 봉준호 감독 〈마더〉 外
기획위원 / 유지나 전찬일 강태규 신국판 / 값 10,000원

2011 '작가'가 선정한 오늘의 영화 _ 2011 이창동 감독 〈시〉 外
기획위원 / 유지나 전찬일 강태규 신국판 / 값 12,000원

2012 '작가'가 선정한 오늘의 영화 _ 2012 이한 감독 〈완득이〉 外
기획위원 / 유지나 전찬일 강태규 신국판 / 값 12,000원

2013 '작가'가 선정한 오늘의 영화 – 2013 윤종빈 감독 〈범죄와의 전쟁 : 나쁜 놈들 전성시대〉 外
기획위원 / 유지나 전찬일 강유정 신국판 / 값 12,000원

이 도서의 국립중앙도서관 출판시도서목록(CIP)은 e-CIP 홈페이지
(http://www.nl.go.kr/ecip)에서 이용하실 수 있습니다.
(CIP 제어번호 : CIP2019007872)

2019 '작가'가 선정한 오늘의 영화

2019년 2월 28일 1판 1쇄 인쇄
2019년 3월 8일 1판 1쇄 발행

지은이 | 이창동 유지나 전찬일 윤성은 외
펴낸이 | 孫貞順
펴낸곳 | 도서출판 작가
서울 서대문구 북아현로 6길 50 (03756)
전화 | 365-8111~2 팩스 | 365-8110
이메일 | morebook@naver.com
홈페이지 | www.morebook.co.kr
등록번호 | 제13-630호(2000. 2. 9.)

기획위원 | 유지나 전찬일 손정순
편집 | 손희 설재원 정민 박소정
디자인 | 전경아 박근영
영업 · 관리 | 이용승

ISBN 978-89-94815-93-0 (93680)

값 14,000원